Gwennol

Sonia Edwards

I Louise
am blannu hedyn y syniad am y man geni

Eldra

Wnes i ddim codi fy llaw yn y wers Saesneg heddiw er fy mod i'n gwybod yr ateb. Dwi'n meddwl fod Miss Williams yn gwybod hefyd. Gwybod fy mod i'n gwybod. Weithiau mi fydd hi'n gofyn i mi hyd yn oed os nad ydw i'n rhoi fy llaw i fyny. Ond wnaeth hi ddim gwneud hynny heddiw. Mi edrychodd hi arna i, edrych reit i fyw fy llygaid i, ond ddywedodd hi ddim byd. Roeddwn yn teimlo'n euog fel pe bawn i'n ofni ei bod hi'n gallu darllen fy meddwl i.

Ond dydi hi ddim. Wrth gwrs nad ydi hi ddim. Pe bai hi'n gallu gweld fy meddyliau cudd fasai hi byth yn gofyn i mi ateb. Oherwydd mai'r gwir ydi nad oes fiw i mi wneud hynny bellach. Fiw i mi ddangos iddyn nhw fy mod i'n glyfrach na nhw. Fy mod hi'n hoffi'r wers. Yn hoffi llyfrau. Yn hoffi darllen. Fy mod i'n cael mwy o bleser na dim mewn cymeriadau sy'n dod yn fyw rhwng tudalennau stori dda. Fasen nhw ddim yn deall. Fasen nhw ddim isio deall. Fasen nhw ddim yn gweld y byd arall sydd mewn llyfr. A dwi'n falch o hynny rywsut. Yn falch na fedran nhw ddim gweld y byd arall dwi'n gallu dianc iddo oddi wrthyn nhw. Dwi'n gwybod fy mod i'n od. Yn wahanol. Dwi'n deall os nad ydi pobol fy isio fi fel ffrind. Dwi'n deall nad ydyn nhw'n lecio'r un pethau â fi. Ond mi fedra i fyw hefo hynny cyn belled â mod i'n cael llonydd. Mae'n well gen i fod yn unig na chael fy mwlio. Dwi'n hoffi bod yn anweledig. Cael fy anwybyddu. Mae bod yn neb yn golygu bod yn saff. Dwi ddim hyd yn oed isio i athrawon fy nghanmol i. Mae'n haws os ydyn nhw jyst yn rhoi marc ar fy llyfr a sylw oddi tano. Mae hynny'n ocê. Yn garedig. Yn ddiogel, fel medru cuddio tu ôl i fy ffrinj. Os ydw i'n cael sylw mae pobol yn pigo arna i.

Mandy ydi'r waethaf. Bitsh ydi hi. Gair pigog ydi 'bitsh'. Dwi'n lecio'i droi o yn fy meddwl wrth gofio am sbeit Mandy, fel pe bawn i'n troi peth da ar fy nhafod. Bitsh. Bitsh-bitsh-bitsh. Gair da. Gair du sy'n gwneud i mi feddwl amdani fel cocrotsien hyll efo pinsiars. Dos o'ma, y bitsh. Dyna faswn i'n lecio'i ddweud wrthi. Ond wna i byth. Does gen i mo'r gyts. Mae'n haws cuddio. Eistedd o'r golwg ym môn y clawdd lle mae'r haul yn oer.

Dyna lle'r ydw i rŵan. O dan y coed isel sy'n tyfu gyferbyn â maes parcio bach y prifathro. Dim ond lle i ddau gar sydd yna. Mae ceir pawb arall mewn iard sy'n bellach i ffwrdd. Ond mae'r fan hyn yn debycach i ardd bach o flaen tŷ rhywun. Mae ffenest y prifathro'n edrych allan arno ond dydi o ddim yn gwneud hynny'n aml. Dydi plant ddim i fod i ddod yma. Dydi'r rhan fwyaf ohonyn nhw ddim isio mentro mor agos i ffau'r llew mawr beth bynnag. Yn enwedig genod fel Mandy a'i chriw. Ond mae'n haws i un plentyn ddod yma'n slei heb i neb sylwi. Felly yma fydda i'n dod i fwyta fy nghinio a chael llonydd.

Dyna'r unig reol dwi'n ei thorri. Yr unig beth drwg dwi'n ei wneud. Ond dydi o ddim yn beth drwg chwaith, nac'di? Fy nghadw fy hun yn saff ydw i. Fel yn y gwersi, fedar neb gyffwrdd ynof fi yma, heblaw am ddail y goeden fechan dwi wedi fy stwffio fy hun oddi tani, sy'n anwesu fy moch fel bysedd hen fodryb. Yr unig broblem hefo fy lle bach cudd i ydi'r tywydd. Mae'n iawn bod yma o'r golwg o dan y goeden isel pan fydd y tywydd yn sych. Does dim ots pa mor oer ydi hi. Dim ots pa adeg o'r flwyddyn ydi hi chwaith, achos mae dail ar y goeden fach hon yn y gaeaf hefyd. Na, y glaw ydi'r broblem. Fasa hyd yn oed cath ddigartref ddim isio llechu o dan goeden yn y glaw! Dwi'n casáu dyddiau glawog pan fydd pawb ar draws ei gilydd yn neuadd yr ysgol. Mae'n anos cuddio oddi wrth Mandy ar ddyddiau felly a finna'n gorfod mynd i'r ffreutur hefo fy mocs bwyd, ac maen nhw'n dod i sbecian beth sydd ynddo ac yn cael mwy fyth o esgus i chwerthin am fy mhen.

Hwmws mae Mam wedi'i roi i mi heddiw. Dwi wrth fy modd hefo fo. Hwmws a bysedd bach o foron a chiwcymber. Mae gen i gaws hefyd, a grawnwin, a chlwff o fara brown cartref gyda chrystyn o hadau sesami fel breichled amdano. Dwi ddim yn deall sut mae pobol yn gallu bwyta'r brechdanau sy'n y ffreutur yn eu parseli bach o seloffen. Y bara gwyn 'na sy'n gludo i dop eich ceg chi. Y munud rydach chi'n dechrau ei gnoi, mae o fel pe bai'n troi'n blastig fel y pecyn y daeth o ynddo! Ond dydw i ddim yn bychanu pobol sy'n bwyta bwyd felly. Rhywbeth iddyn nhw ydi o, 'de? Mae'n well gen i fwyd fel hyn. Faswn i byth yn galw enwau ar bobol sy'n bwyta brechdanau paced fel yr enwau mae Mandy'n eu galw arna i am fwyta bara hefo hadau ynddo. Bwji. Hipi. Wîrdo. A'r lleill yn sefyll tu ôl iddi'n poeri chwerthin fel gwrachod dan hyfforddiant.

Pan fydd Mandy'n galw enwau arna i ac yn dweud pethau cas, mi fydda i'n rhoi fy mhen i lawr er mwyn i fy ngwallt i ddisgyn ar draws fy wyneb i. Er mwyn iddo fy nghuddio i'r un fath â'r goeden. A dwi'n llenwi fy mhen hefo geiriau eraill. Weithiau mae'r gair 'bitsh' yn dod. Ond dydi hynny ddim ond yn digwydd pan dwi'n teimlo'n ddewr, sydd ddim yn aml. Fel arfer dwi'n meddwl am eiriau caneuon neu'n gwneud symiau yn fy mhen: cyfri faint o oriau a munudau ac eiliadau sydd ar ôl nes bydd y gloch ola'n canu a bydd fan Dad tu allan yn disgwyl amdana i. Diolch byth nad ydw i'n gorfod dal bws adref hefo rhai o ffrindiau Mandy, neu'n gorfod cerdded yr un ffordd â hi. Dwi'n meddwl y baswn i'n gwrthod mynd i'r ysgol yn gyfan gwbl wedyn. Ond wedi dweud hynny, mi fyddai gorfod byw heb wersi Saesneg Miss Williams yn anodd iawn. Mae hi'n rhoi benthyg llyfrau i mi o hyd. Dydi hynny ddim yn gwneud fy mywyd i ddim haws hefo Mandy chwaith. Swot. Gîc. Nyrd. Titshyr's Pet. Pethau felly mae hi'n eu dweud. Ond mi fedra i ddioddef hynny i gyd, dim ond er mwyn cael darllen trysorau o lyfrau fel *Warhorse* Michael Morpurgo. Er mwyn cael dianc i fyd nad ydi Mandy Price a'i chronis yn gwybod yr un dim amdano.

Er nad ydi Miss Williams yn gwybod fod y genod yn fy mwlio i, mae hi wastad yn rhoi chwarae teg i mi, yn gweld fy mod i'n un o'r rhai prin sy'n mwynhau'i phwnc hi. Mae Abigail Hughes yn cael marciau uchel yn Saesneg hefyd ac yn amlwg yn mwynhau darllen fel fi, ond does yna neb yn ei bwlio hi. Mae Abi'n ddel ac yn hyderus ac yn gwisgo breichled Pandora i'r ysgol. Mae gemwaith yn erbyn y rheolau ond does yna'r un o'r athrawon wedi tynnu sylw at y peth. Mae hi'n cael parch gan bawb, hyd yn oed gan bobol fel Mandy. Efallai fod hynny oherwydd bod Abi'n hyderus yn ogystal â'r ffaith ei bod hi'n glyfar. Oherwydd ei bod hi'n ddoniol, yn gês, yn dweud pethau sy'n gwneud i athrawon chwerthin. Mae ganddi gariad hefyd, Gafyn Fielding, un o'r hogia 'cŵl'. Mae o yn y flwyddyn o'n blaenau ni ac yn gapten y tîm rygbi dan 16. Dwi ddim yn meddwl fod Gafyn yn hogyn mor neis â hynny chwaith, er mor boblogaidd ydi o. Mae Abi'n ei addoli ond dwi wedi sylwi ar y ffordd mae o'n fflyrtio hefo genod eraill pan nad ydi hi o gwmpas a'r ffordd mae o'n ei sgwario hi ar hyd y coridorau. Dwi'n meddwl ei fod o fwy mewn cariad hefo fo'i hun nag ydi o hefo Abi. Ond mae'r ffaith ei bod hi a Gafyn yn eitem yn rhoi statws iddi. Mae hi'n un o genod yr 'A crowd'. Yn un o'r bobol na fydd bwlis yn eu cyffwrdd am fod ganddyn nhw ormod o hyder. Maen nhw'n ei wisgo fo fel bathodyn, neu'n hytrach fel bwlet-prŵff fest. Dwi mor eiddigeddus o'r hyder yma. Mae o'n dychryn bwlis i ffwrdd oherwydd ei fod o fel drych lle maen nhw'n gweld eu hansicrwydd eu hunain ynddo. Yn eu cadw nhw draw ac yn eu hannog i chwilio am rai gwannach i bigo arnyn nhw. Rhai fel fi.

Dydi o'n gwneud dim drwg i Abi chwaith fod ganddi frawd hŷn sydd yn y Chweched Dosbarth. Mae hwnnw'n 'cŵl' hefyd. Mae o'n chwarae gitâr fas mewn band o'r enw'r Cnafon, yn gwisgo jîns du yn lle trowsus ysgol go iawn ac mae ganddo i-ffôn yn sticio allan o'i bocad tin. Mi leciwn i pe bai gen i frawd neu chwaer i edrych ar fy ôl i yma. Dwi ddim yn siŵr am gariad. Faswn i ddim yn gwybod sut i siarad hefo hogyn heb fynd yn goch. A beth bynnag, dydi hi ddim yn edrych yn debyg fod Gafyn yn edrych ar ôl Abi ryw lawer. Mae o jyst yna, yn uchel ei gloch, yn tynnu sylw ato fo'i hun, ei bresenoldeb o'n hofran uwchben pawb fel ogla afftyrsief.

Chwaer fasa orau gen i, pe bawn i'n cael dewis. Chwaer glyfar, boblogaidd hefo'i bwlet-prŵff fest ei hun yr un fath ag Abi Hughes. Mi fedrwn i siarad hefo chwaer. Rhannu pethau. Eistedd ar ei gwely hi gyda'r nos yn trio mêc-yp ac yn siarad. Gallwn i ddweud fy mhroblemau wrthi ac mi fasa hithau'n gwybod beth i'w wneud. Pe bai gen i chwaer felly, fasa pethau drwg ddim yn digwydd i mi yn y lle cynta. Fel yr adeg pan ges i gosb am gopïo gwaith cartref Mandy Price. Ia, dwi'n gwybod! Mae hynny jyst yn profi pa mor ddall neu ddwl (neu'r ddau!) y mae rhai athrawon yn gallu bod.

Mi ddylwn i fod wedi amau pan ddechreuodd Mandy fod yn glên efo fi. Isio eistedd wrth fy ymyl yn y wers Fathemateg. Dechrau dweud pa mor daclus oedd fy llawysgrifen i. Pa mor dda oeddwn i am ddeall hafaliadau. Mi ddylwn i fod wedi gweld gwenau sbeitlyd ei chriw hi yn y rhes gefn, yn glustdlysau cylchog ac yn jiwing-gym i gyd, wrth iddi gogio ymddiried ynof fi eu bod nhw'n gas hefo hi ac nad oedd hi isio eistedd hefo nhw eto. Mi ddylwn i fod wedi sylweddoli. Ond roeddwn i jyst mor falch nad oedd hi'n pigo arna i am unwaith. Mor falch nad oedd hi'n gas. Mor falch o'r briwsion bach clên, annisgwyl roedd hi'n eu taflu i fy nghyfeiriad.

Mi ofynnodd hi i mi a faswn i'n bod yn bartner iddi yn y wers Ddrama wedyn. Doedd ganddi ddim mynadd hefo Liwsi a Luned a'r gweddill â'u hen lol blentynnaidd. Roedden nhw'n anaeddfed, meddai. Gwneud pethau gwirion. Tynnu ar athrawon. Difetha gwersi i bobol eraill. Gwenodd wrth ddweud hyn. Roedd ogla bybl-gym ar ei gwynt hi. A faswn i, plis, yn medru dangos iddi'n sydyn sut i wneud y symiau gawson ni'n waith cartref erbyn heddiw? Doedd hi ddim wedi cael cyfle i wrando'n iawn ar yr athro oherwydd bod Luned yn cadw reiat. Copïodd fy ngwaith i rif am rif cyn rhuthro i'r tu blaen i roi ei llyfr i mewn o flaen pawb.

Drannoeth, wedi i'r athro farcio'r llyfrau, fi gafodd y bai am gopïo gwaith Mandy. Fedrwn i ddim codi fy mhen. Roedd hi eisoes yn ei hôl yn eistedd yn y rhes gefn hefo Luned, ei gwên yn galed a'i llygaid yn galetach. Mi ddylwn i fod wedi casáu Mr Evans am fod mor ddi-glem ynglŷn â'r disgyblion yn ei ddosbarth. Cadwodd fi i mewn amser cinio ond am unwaith fi oedd ar fy ennill. Roedd hi'n ddiwrnod glawog, hyll a faswn i ddim wedi gallu mynd i fy nghuddfan yng ngardd fach y prifathro wedi'r cyfan. Cefais loches yn yr ystafell Fathemateg. Roeddwn i yno ar fy mhen fy hun a chefais lonydd i fwyta fy nghinio. Roeddwn i wedi gorffen y symiau a gefais fel cosb mewn chwinciad. Roedd hi'n dawel yma, yn saff. Estynnais fy llyfr darllen newydd a gwenu wrtha i fy hun am unwaith. Dysgais y diwrnod hwnnw fod mwy nag un ffordd o gael y llaw uchaf wedi'r cwbwl. Mwy nag un ffordd o oroesi. Roedd Mandy wedi gweithredu gyda'i chreulondeb arferol. Cynllun sbeitlyd oedd y cyfan i fy nghael i i drwbwl ac roeddwn innau wedi bod yn ddigon gwirion i'w thrystio hi wrth i'w llygaid pry-cop syllu i fy rhai i. Ond roedd hi a'i ffrindiau wedi gwneud cymwynas â mi wedi'r cyfan. Nid yn unig fy mod i wedi cael awr ginio gyfforddus ar fy mhen fy hun ond hefyd dysgais wers bwysig i beidio trystio pobol oedd yn cogio bod yn glên. A ph'run bynnag, pwy yn ei iawn bwyll hefo hanner owns o *street cred* a fyddai isio hyd yn oed cogio bod yn ffrindiau hefo rhywun mor od â fi?

Mae'r gloch yn canu. Cloch diwedd amser cinio. Sgrech o sŵn. Galarnad. Mi ddysgon ni'r gair hwnnw bore 'ma yn y wers Astudiaethau Crefyddol. Galarnadu ydi'r gweiddi mae pobol yn ei wneud pan fydd rhywun wedi marw. Sŵn mor drist a thorcalonnus â phe baen nhw isio marw'u hunain. Felly dwi'n teimlo rŵan. Addysg Gorfforol ydi'r wers nesaf. Dwi'n llusgo fy nhraed. Mae'n gas gen i newid o flaen pawb. Pam na chawn ni giwbicl bob un i dynnu amdanom ynddo? Lle bach preifat fel ciwbicl toiled. Mae'n greulon gorfod sefyll yn eich dillad isaf a gwybod bod pobol eraill yn eich llygadu. Efallai nad ydi hynny'n poeni pobol fel Abi. Fel Mandy. Maen nhw'n gwisgo legins tyn yn lle trowsusau ysgol ac mae'r rheiny'n dangos siâp eu cyrff i bawb. Mae o'n fwriadol. Pan fyddan nhw'n newid i'w cit mi fyddan nhw'n sefyll yno yn eu nicyrs les bach a'r bras i fatsio. Mae fy nillad isaf i'n blentynnaidd fel fy nghorff i a'r *starter* bra'n fawr mwy na cham ymlaen o fest. Dwi'n cywilyddio na fedra i ddim bod yr un fath â nhw, hyd yn oed yn y ffordd dwi'n edrych. Dwi isio cuddio eto. Bod yn anweledig eto. Dwi'n dyheu am ddiogelwch y goeden neu ddistawrwydd llychlyd yr ystafell Fathemateg.

Y peth hawsaf ydi dianc i'r toiled a newid ar ôl i'r gweddill fynd i mewn i'r gampfa. Mae'n well gen i fod yn hwyr yn newid nag yn destun sbort. Does neb i'w weld yn deall. Mae hyd yn oed Megan Wyn, sy'n blwmpen dew ac yn woblo i gyd, yn sefyll yno'n braf yn dangos ei bloneg i'r byd a does neb yn malio dim. Ond maen nhw'n chwerthin wrth daflu cipolygon slei arna i, yn siarad tu ôl i'w dwylo ac yn troi eu cefnau wedyn nes fy mod i'n teimlo'r ystafell newid yn shrincio a'r waliau'n cau amdana i: pegiau haearn a meinciau caled a lleisiau'r genod yn gwlwm dieiriau fel y sŵn mewn cwt ieir.

Maen nhw i gyd yn edrych arna i pan dwi'n cerdded i mewn i'r gampfa oherwydd fy mod i'n hwyr eto.

"Mae hyn yn dechrau mynd yn arferiad, Eldra," meddai Miss Dafis Jym. "Yr holl wastraffu amser 'ma."

Mae ganddi wallt sy'n rhy ddu ac wedi'i dorri'n fyr fel gwallt dyn, yn llinell syth ar hyd ei gwegil. Er bod ganddi gorff sgwâr, cyhyrog mae'i llais hi'n uchel a main, yn codi i nenfwd uchel y gampfa fel sgrech gwylan. Dydi hithau ddim yn berson sy'n gwneud ymdrech i ddeall pam nad ydi pawb arall yn gallu bod yn union yr un fath â hi. Dwi'n diolch o waelod calon nad ydyn nhw ddim. Mae ganddi bersonoliaeth fel bwrdd smwddio, caled a fflat: mae hi fel pe bai hi wedi plygu'i theimladau a'u cadw'n dwt o'r golwg cyn pob gwers. O'r holl athrawon yn yr ysgol, Janis Dafis ydi'r un dwi'n ei chasáu fwyaf. Mae'i geiriau hi bob amser yn brifo fel cawod o gerrig a dwi'n brathu fy ngwefus yn galed rhag ofn i mi grio. Dwi'n gwbl sicr mai bwli fel Mandy Price oedd hithau pan oedd hi'n ferch ysgol.

Dydan ni ddim yn gorfod chwilio am bartneriaid i weithio gyda nhw yn ystod y wers yma, diolch byth. Dwi wastad yn un o dair pan fydd hynny'n digwydd, yn sefyll o'r neilltu fel dodrefnyn a'r ddwy arall sydd wedi eu gorfodi i gydweithio hefo fi'n fy anwybyddu'n llwyr. Fi fydd yn cael y bai bryd hynny hefyd am beidio cymryd rhan. Rhywbeth rhwng gwers cadw'n heini a gwers ddawns ydi hon a dwi'n falch pan ddaw'r miwsig, a'r wers, i ben. Dwi'n llwyddo i guddio yn y toiled eto'n ddigon hir i roi cyfle i'r rhan fwyaf o'r genod eraill wisgo ac yna'n rhoi fy ngwisg ysgol dros fy siorts a fy nghrys T er mwyn cael sbario tynnu dim byd oddi amdanaf eto. Dwi'n teimlo'n boeth ac yn ludiog wrth redeg i'r wers Gymraeg, gwers olaf ond un y prynhawn. Dwi'n mwynhau Cymraeg a does arna i ddim isio bod yn hwyr. Mae Rhisiart Wyn yn athro sy'n llym ar bawb fydd yn chwarae o gwmpas a dwi wrth fy modd: wneith hyd yn oed Mandy ddim meiddio codi'i phen. Mae hon yn wers saff.

Mae ffôn y dosbarth yn canu ac mae Mr Wyn yn ei ateb yn swta. Wrth iddo alw'r gofrestr mae pawb yn sylwi nad ydi Abi Hughes wedi cyrraedd. Dydi o ddim yn holi lle mae hi. Mae ambell un yn edrych ar ei gilydd ond does neb yn meiddio tynnu sylw at y peth. O fewn chwarter awr mae'r dirgelwch yn cael ei ddatrys. Mae Abi'n ymddangos tu allan i'r drws hefo Janis Dafis, sy'n curo fel plismon ac yn cerdded i mewn heb ddisgwyl gwahoddiad. O bawb yn yr ysgol dwi'n meddwl mai hi ydi'r unig berson nad oes arni ofn Rhisiart Wyn. Mae hyd yn oed y prifathro'i ofn o.

"Mae'n rhaid i mi ofyn eich caniatâd i chwilio drwy fagiau pob un o'r genod, Mr Wyn," meddai Janis Dafis. Ond does dim golwg arni ei bod hi'n gofyn caniatâd go iawn. Mae hi'n mynd i wneud beth bynnag.

"Beth sydd mor bwysig, Miss Dafis, fel bod yn rhaid i chi dorri ar draws fy ngwers *i* er mwyn gwneud hyn?" Does ganddo yntau mo'i hofn hithau chwaith. Mae o'n rhoi pwyslais ar yr 'i' fel pe bai o'n awgrymu fod ganddi andros o wyneb yn mynnu gwneud y ffasiwn beth.

"Mae Abi wedi colli'i breichled yn yr ystafell newid gynnau," meddai. Mae hi'n edrych ar y genod i gyd hefo'i llygaid lliw bwledi. "Ac mae gen i le i gredu ei bod hi ym meddiant rhywun yn yr ystafell hon."

Mae hi'n siarad fel barnwr, yn lluchio geiriau-codi-ofn fel grenêds i'n canol ni: 'lle i gredu', 'meddiant'. Wyddwn i ddim fod ganddi gystal Cymraeg tan rŵan. Efallai mai dangos ei hun o flaen Rhisiart Wyn mae hi. Dangos ei bod hi'n gwybod geiriau mawr. Os oedd yr ystafell yn ddistaw cynt, does yna ddim hyd yn oed sŵn anadlu erbyn hyn. Mae pawb – wel, pawb o'r genod – yn gyfarwydd â breichled Abi. Y freichled Pandora ddrud. Mae yna hyd yn oed tsiarms aur arni.

"Genod y dosbarth yma oedd yr unig rai oedd yn yr ystafell newid cyn ac ar ôl y wers Addysg Gorfforol," meddai Miss Dafis. "Ac fel mae pawb yn gwybod, does dim mynediad i neb yn ystod gwersi oni bai eu bod nhw'n canu'r gloch tu allan i'r drws. Mae hyn i fod i ddiogelu eiddo pawb rhag lladron."

Mae hi'n rhoi pwyslais arbennig ar y gair 'lladron' wrth iddi edrych i'n hwynebau ni. Mae ambell un yn mynd yn goch fel bitrwt, euog neu beidio.

"Rydan ni wedi chwilio yn yr ystafell newid a does dim golwg ohoni."

Dydi hi ddim yn ychwanegu: felly mae'n rhaid ei bod hi ym mag un ohonoch chi. Does dim rhaid iddi. Mae'r cyhuddiad yn amlwg. Dwi'n synnu nad ydi hi'n ceryddu Abi chwaith am wisgo breichled ddrud i'r ysgol, rhywbeth sydd yn erbyn y rheolau. Ai fi ydi'r unig un sy'n meddwl hynny?

Mae Miss Dafis yn mynd o ddesg i ddesg, yn sefyll uwchben pob merch wrth iddi wagio cynnwys ei bag. Er mor llym ydi Rhisiart Wyn fel athro, mae'n amlwg nad ydi o'n cytuno hefo hyn. Mae o'n troi'i gefn ar y cyfan ac yn edrych drwy'r ffenest tra mae'r holl chwilio'n digwydd. Does gan Miss Dafis ddim amheuon o gwbl ynglŷn â chwilio bagiau pobol, mae hynny'n amlwg. Mae hi'n chwalu drwy gynnwys y bagiau fel rhywun yn chwilio am gyffuriau mewn maes awyr neu fel warden mewn jêl. Dwi'n meddwl ei bod hi hyd yn oed yn mwynhau gwneud hyn, yn mwynhau'r pŵer sydd ganddi drostan ni. Mae hynny'n ddychryn i mi. Dwi'n meddwl pa mor debyg ydi hi i gymeriad Miss Trunchbull yn *Matilda*. Yn enwedig pan ddaw ei chysgod i sefyll uwchben fy nesg i. Mae hwnnw hyd yn oed yn solat, yn gysgod du na fedar golau basio drwyddo.

Dwi'n gwagio cynnwys fy mag yn ofalus ar y bwrdd. O ochr fy llygad dwi'n sylwi ar Mandy a

Carys Sbeics yn edrych yn slei ar ei gilydd. Dydi hi ddim yn wên. Maen nhw'n rhy glyfar i hynny. A dwi'n gwybod yn syth. Mae'r freichled yn fy mag i yn rhywle. Ond dydi hi ddim rhwng y llyfrau. Ddim yn y boced ar ochr y bag. Mae popeth ar y bwrdd. Mae Miss Dafis yn edrych i fyw fy llygaid, yn codi fy mocs bwyd plastig pinc ac yn ei ysgwyd. Mae yna sŵn caled tu mewn iddo fel sŵn cregyn yn taro'n erbyn ei gilydd. Pe bai Miss Dafis yn un o giang Mandy Price, mi faswn i'n taeru ei bod hi wedi cynllwynio hefo nhw i wneud hyn. Mae hi'n rhwygo'r caead oddi ar y bocs ac yno'n nythu rhwng y llwy blastig a'r pot iogwrt gwag a'r pecyn bach o syltanas na wnes i mo'i agor mae'r freichled Pandora, breichled Abi Hughes, yn wincio ac yn sgleinio fel celc pioden.

Mae'r dosbarth cyfan fel petai wedi anadlu hefo'i gilydd, i gyd yr un pryd. Mae'r distawrwydd yn drwm ac yn oer ac yn gorwedd dros bopeth fel croen yn ffurfio ar gwstard. Dwi'n gorfod codi o flaen pawb a dilyn Miss Dafis o'r ystafell. Mae fy nghoesau i'n troi'n ddŵr wrth i mi drio cofio sut i roi un droed o flaen y llall. Er bod cwmwl poeth o ddagrau'n cau dros fy llygaid dwi'n sylwi ar y ffordd mae Abi'n sbio arna i: yn gymysg â'r siom a'r sioc mae'n edrychiad sy'n llawn casineb. Os oedd bywyd yn yr ysgol yn anodd cynt, mi fydd yn annioddefol o hyn ymlaen.

Dwi wedi cael bai ar gam ond pwy sy'n mynd i gredu hynny? Oes yna bwynt i mi wadu? Oes yna bwynt i mi ddweud y gwir?

Oes yna bwynt i unrhyw beth bellach?

Dechrau Newydd

"Yvonne Fflur felly, ia?"

Mae'r prifathro'n siarad hefo hi fel pe na bai hi'n siŵr o'i henw'i hun. Fel pe na bai o yna mewn du a gwyn ar y ffurflen o'i flaen o. Mae hi'n taflu cipolwg ar ei thad, sydd hyd yn oed wedi gwisgo tei ar gyfer yr achlysur. Yn gadael iddo fo ateb y cwestiwn.

"Ia, mae ganddi enw Ffrangeg ac enw Cymraeg. Ffrances oedd mam Yvonne."

Nid fod angen egluro. Pa ots pe bai hi wedi cael ei bedyddio'n Minnie Mouse? Mae'i thad yn siarad er mwyn siarad. Mae yntau'n nerfus. Ond yr unig air mae Yvonne yn ei glywed, yr unig air sy'n gludo yn rhywle rhwng ei chlustiau a'i phenglog, ydi 'oedd'. Ffrances *oedd* ei mam. Dydi ei mam ddim yn bod mwyach. Mae hi yn y gorffennol hefo'r atgofion melys i gyd. Hefo'r sicrwydd. Mae *oedd* yn golygu 'wedi mynd'. Mae Yvonne yn agor ei llygaid yn fawr, fawr, yn dewis un peth i syllu'n galed arno. Rŵan hyn, mae hi wedi dewis tlws siâp tarian sy'n sefyll ar ben un o'r cypyrddau. Sylla ar y bathodyn arian yn ei ganol nes bod ei llygaid yn pigo. Mae o'n dric mae hi wedi'i ddysgu iddi hi'i hun er mwyn iddi beidio crio. Dydi cau'i llygaid byth yn gweithio. Mae hynny'n gwasgu'r dagrau allan. Ond fel hyn mae hi'n eu herio nhw, fel mae hi wedi herio popeth arall ers iddi golli'i mam.

Colli. Felly mae pawb yn disgrifio'r peth. Fel pe bai hi wedi colli'i phres cinio neu'i thocyn bws. Hen air esgeulus, blêr. Pam eu bod nhw i gyd, ei thad, ei nain, ffrindiau'i mam, ofn dweud y gair 'marw'? Onid ydi o'n air ffeindiach? Oherwydd mae 'colli' yn codi gobeithion. Os ydych chi'n colli rhywbeth mae yna obaith i chi gael hyd iddo fo eto. Dydi'r gair 'marw' ddim yn eich camarwain. Mae o fel ffrind mwy gonest na'r lleill sy'n ddigon dewr i ddweud: na, dwyt ti ddim yn ddigon clyfar i fod yn ddoctor ond mi allet ti fod yn nyrs ryw ddiwrnod. Mae'n anodd derbyn y gwir plaen ond mi fedrwch chi ddysgu byw hefo'r ail ddewis.

Dysgu byw mae Yvonne wedi gorfod ei wneud ar ôl i'w mam farw. Dysgu sut i ddefnyddio'r botymau ar y peiriant golchi. Dysgu sut i hongian ei dillad yn ofalus fel nad oes angen eu smwddio. Dysgu peidio hiraethu am awr ar y tro. Dwyawr. Bore cyfan. Pnawn hefyd weithiau. Ond dydi hi byth yn medru gwneud hynny am ddiwrnod ar ei hyd.

Mae'r ffaith bod ei thad wedi cael swydd newydd wedi taflu popeth oddi ar ei echel. Nid swydd yn unig ydi hi. Maen nhw'n newid eu ffordd o fyw. Mae Yvonne yn meddwl bod ei thad yn hunanol.

Yn greulon hyd yn oed. Mae hi wedi colli'i mam. Rŵan mi fydd hi'n colli'i ffrindiau hefyd. Popeth sy'n gyfarwydd iddi. Mi fydd ganddyn nhw dŷ newydd, crand, ond mae'n well gan Yvonne yr hen gartref. Yno mae'r atgofion i gyd. Yno mae'i mam. Na, meddai'i thad. Dechrau newydd ydi'r ateb i ni'n dau erbyn hyn. Mae bywyd yn mynd yn ei flaen. Mi fydd dy fam yn dy galon di lle bynnag yr ei di. Sydd yn wir. Ond mae hi yn yr hen dŷ hefyd. Yn yr ardd lle plannodd hi'r goeden afalau fechan. Lle gwthiodd hi Yvonne ar y siglen. Lle chwynnodd hi'r borderi a rhoi pysgod aur yn y pwll crwn. Mae hi yn y llofftydd lle peintiodd hi'r waliau'n las a llwyd a hufen a'i gwallt hir, tywyll wedi'i glymu'n flêr mewn sgarff. Mae hi wrth fwrdd y gegin lle rowliodd hi'r pestri ar gyfer mins peis ac o flaen y stof yn troi crempogau. Ei thad yn dweud eu bod nhw'n mynd â bwrdd y gegin hefo nhw beth bynnag. Dydi o ddim yr un fath. Fedran nhw ddim tynnu'r paent oddi ar y waliau, na fedran, na dadwreiddio'r goeden afalau?

Meddwl am hyn i gyd roedd hi wrth syllu i lygad y tlws ar y cwpwrdd a chwffio i gadw'r dagrau rhag disgyn. Meddwl pa mor annheg oedd y cyfan.

"Dwi'n siŵr bydd Yvonne yn hapus iawn yma hefo ni."

Mae geiriau'r prifathro'n hymian fel pryfed o gwmpas ei phen. Mae o newydd fod yn mwydro am reolau ysgol a gwisg. Wnaeth hi ddim edrych arno. Wnaeth hi ddim edrych ar ei thad. Wnaeth hi ddim ateb. Does ganddi ddim bwriad bod yn hapus yma. Gwenu'n ddel a gwneud ffrindiau'n ferch fach dda? Os mai dyna maen nhw'n disgwyl iddi'i wneud, maen nhw'n gwneud camgymeriad mawr. Ond mae un peth yn sicr: does ganddi ddim bwriad i fod yn anhapus chwaith. Lwc owt, ysgol newydd. Lwc owt, dechrau newydd. Ac fe ŵyr hithau'n barod faint o sylw mae hi'n mynd i'w gymryd o'r prifathro yma a'i reolau.

Does yna neb yn mynd i sathru arni hi, yn blant nac athrawon. No blydi wê!

Eldra

Abi blannodd y freichled Pandora yn fy mocs bwyd i. Abi'n rhoi'i breichled hi'i hun yng nghanol fy mhethau i er mwyn i mi gael y bai. Yn gweld ei chyfle ar ddiwedd y wers Addysg Gorfforol pan redais i i'r toiled i newid hefo fy mlows a fy nhrowsus ysgol yn belen o dan fy nghesail. Trowsus du, saff sy'n cuddio fy nghoesau dryw bach. Trowsus, nid legins.

Mae Abi'n glyfar. Nid hefo syms a sgwennu. Mae hi'n glyfar fel mae creaduriaid gwyllt yn glyfar: nadroedd a llewod a siarcod. Un cam ar y blaen. Dyna pam mae creadur heb gydwybod yn gallu bod mor effeithiol o greulon; dydi o ddim yn poeni am boen. Un felly'n union ydi Abi. Cyfrwys. Mae hi'n fy ngwylio i ers dyddiau, yn llygadu'i phrae. Mae hi'n gwybod am fy holl symudiadau, fy swildod yn yr ystafell newid – y swildod y mae hi'i hun wedi chwarae rhan mor allweddol yn ei greu – ac wedi sylwi mai fi ydi'r olaf i ymuno yn y wers bob tro. Yr olaf i gerdded heibio'r meinciau lle mae pawb yn gadael eu pethau. Yr un hefo'r cyfle perffaith i ddwyn unrhyw beth o fag unrhyw un. Hynny yw, pe bawn i'n gallu meddwl fel lleidr. Ond Abi feddyliodd am hynny, nid y fi.

Un cam ar y blaen.

Dwi'n codi fy mhen. Mae'r gloch wedi canu, yr ystafell ddosbarth wedi gwagio, heb i mi sylwi. Mae hyd yn oed Rhisiart Wyn wedi gadael. Dwi yma ar fy mhen fy hun ag arogleuon yr ystafell yn gwmni i mi; ogla'r llyfrau a'r siafins pensiliau, ogla peiriant coffi'r athro o'i guddfan yn y stordy; ogla'r haul yn cynhesu'r byrddau.

Wyddwn i ddim fy mod i'n crio. Dwi ddim yn teimlo fel pe bawn i'n crio. Dydi fy nagrau i ddim fel pe baen nhw'n perthyn i mi. Maen nhw'n grwn ac yn glir, yn berffaith hyd nes eu bod nhw'n disgyn ac yn colli'u ffurf, colli'u hunaniaeth, eu hawl yn y byd, fel rhew yn meirioli.

"Ti'n cael diwrnod shit hefyd, mae'n rhaid."

Mae hi'n sefyll yn y drws, merch ddiarth yn gwisgo'r un wisg ysgol â fi, merch yr un oed â fi yn ôl pob golwg. Merch a ddylai fod yn fy nosbarth i, dim ond nad ydw i erioed wedi'i gweld hi o'r blaen. Mae hi'n edrych yn dipyn o rebel dim ond wrth sefyll yna, yn torri nifer o reolau'r ysgol heb orfod gwneud dim: paent gwyrdd llachar ar ei hewinedd, hŵps aur yn ei chlustiau, strîcs o ryw liw piws-jiws-mwyar-duon yn ei ffrinj. Ac mae hi'n cnoi fel dafad. Daw i sefyll o flaen y ddesg lle dwi'n ista. Fedra i ddim credu ei bod hi mor hyderus. Mae'i bag hi'n edrych yn od o ysgafn a gwag ar ei hysgwydd hi. Hogan newydd, wedi dod i gael blas ar wersi'r prynhawn. Dim ond nad oes yna ddim ond un wers ar ôl bellach. Y wers Ffrangeg. Fedra i ddim gweld hon yn ymateb yn dda iawn i bwnc felly. Mae'n amlwg mai un o griw Mandy Price fydd hi, yn ôl y ffordd mae hi'n ymddwyn ac yn edrych. Does yna ddim byd yn swil ynddi hyd yn hyn. Dwi'n meddwl fod arna i'i hofn hi'n barod.

"Life's a bitch," meddai hi wedyn. A chwerthin. Ond mae o'n chwerthin heb hiwmor ynddo. Sŵn caled, sydyn. Chwerthiniad rhywun llawer hŷn sydd wedi dioddef pethau mawr.

Mae hi'n edrych o'i chwmpas yn feirniadol, ar y silffoedd llyfrau, y posteri ar y waliau, yn enwedig yr un hefo llun Blodeuwedd arno. Mae hi'n tynnu'i bys ar hyd ymyl un o'r desgiau fel howscipar Downton Abbey yn tsiecio am lwch.

"Yvonne dwi," meddai. "Pwy wyt ti?"

"Eldra."

"Wel, Eldra. Gei di ddangos i mi pa ffordd i fynd i'r wers nesa. Ffrangeg, ia? Digri, 'de, achos mae gen i enw Ffrensh."

Fel pe na bawn i'n gwybod. Fel pe na bawn i wedi clywed yr enw 'Yvonne' o'r blaen. Ydi hi'n meddwl fy mod i'n ddwl? Hon hefo'i hŵps a'i nêl farnish coman. Dydi hi ddim wedi gofyn pam oeddwn i'n crio gynnau. Ddim hyd yn oed wedi gwneud sylw am fy enw anghyffredin innau. Dim ond dechrau dweud wrtha i'n syth beth i'w wneud. Ac mi fydda i'n ufuddhau fel llygoden, yn plygu i'w hawdurdod fel dwi wedi'i wneud erioed i bobol fel Janis Dafis a Mandy Price. Dwi'n fy nghasáu fy hun am fod mor llywaeth ond dwi'n dal i godi ar fy nhraed i hel fy mhac er mwyn mynd â hi i'r wers nesaf. Y wers olaf, diolch byth.

Y Wers Gyntaf Honno

Mae hi'n dilyn yr Eldra 'ma. Mae hi wedi gweld digon o Eldras o'r blaen: genod bach ofnus, dihyder sy'n ymddangos yn od i bawb arall am un rheswm; dydyn nhw ddim yn gwybod sut i'w guddio fo. Act ydi hyder, meddylia Yvonne. Un act fawr, glyfar i dwyllo'r byd. Dylai hi wybod. Mae hi'n actio rŵan. Pe bai hi a phawb arall sy'n galed neu'n cŵl o gwmpas y lle'n tynnu'u masgiau dim ond am funud, mi fydden nhw'n union yr un fath ag Eldra. Achos bod Eldra'n bod yn hi ei hun. Yn bod yn rhy onest. Dydi hynny ddim yn talu bob amser, yn enwedig mewn ffau llewod fel hon.

Mae'r athrawes Ffrangeg yn ifanc ac yn ddel. Dydi Yvonne ddim yn meddwl y bydd ganddi lawer o drefn, hefo'i dillad ffasiynol a'i gwallt hir, melyn. Mae hi'n anghywir. Mae llais Miss Meredydd yn isel ac yn llyfn. Does arni ddim angen gweiddi. Mae yna rywbeth yn ei llygaid lliw llechen hi sy'n argyhoeddi pawb yn syth mai hi sy'n rheoli. Nid hyder yn unig ydi o. Mae hithau'n gwybod sut i actio hefyd fel nad yw neb yn amau dim.

Mae Miss Meredydd yn cyfarch y dosbarth mewn

Ffrangeg syml. Pnawn da. Eisteddwch. *Ouvrez vos cahiers*. Mae ganddi acen ocê. Roedd ei hen athrawes yn well. Ond y ddwy'n swnio fel Cymry er mor galed maen nhw'n trio. Hawdd dweud mai Cofi ydi Miss Meredydd, hyd yn oed wrth iddi siarad Ffrangeg. Nid fel ei mam. Ffrances go iawn wedi dysgu Cymraeg. Roedd honno'n acen wahanol. Rhamantus. Ecsotig. Fel ffilm star. Roedd hi'n rowlio'r llythyren 'r' yn feddal rownd ei cheg ac yn llwyddo i wneud i rywbeth mor syml â 'Bore da' swnio'n hudol.

Mae Yvonne yn dal i sefyll. Yn dal i ddisgwyl cyfarwyddiadau. Yn actio. Oherwydd bod pawb yn sbio. Yn edrych yn fanwl arni. Deg pâr ar hugain o lygaid barcud yn chwilio am wendid. Felly mae hi'n syllu'n ôl arnyn nhw'n ddigywilydd. Yn lluchio'i gwallt o'i llygaid. Yn cnoi'i gwm.

"A phwy wyt ti?" meddai Miss Meredydd yn oer, er ei bod hi'n gwybod yn iawn. Mae hi'n trio dangos ei hawdurdod, ei bod yn anghymeradwyo'r gwm.

"Yvonne Roberts, Mademoiselle," meddai Yvonne. Yn rowlio'r 'r' yn berffaith. Yn swnio fel merch o Ffrainc. Mae hi naill ai'n ddigywilydd tu hwnt i eiriau neu'n trio dangos parch. Does neb, gan gynnwys Miss Meredydd, yn siŵr iawn.

Mae'r dosbarth cyfan yn dal ei wynt. Tu mewn, mae Yvonne yn gwenu. Mae'r act wedi gweithio.

Mae'r genod caled yn ei hedmygu'n syth a'r bechgyn i gyd yn ei ffansïo.

"Mae'r bin wrth y drws, Yvonne." Mae Miss Meredydd yn dal yr awenau'n dynn, yn rhoi un o berfformiadau gorau'i bywyd. Y llygaid llechen yn dywyllach fyth. Does fiw iddi golli rheolaeth ar hyn.

Mae Yvonne yn rhoi'r gwm yn y bin. Yn ofalus. Bron yn rhy ofalus. Mae pob symudiad bron yn rhy araf. Bron yn heriol. Ond ddim cweit. Mae'r amseru'n haeddu Oscar. Edrycha Miss Meredydd o gwmpas y dosbarth. Mae hithau'r un mor heriol. Ond does neb yn meiddio dweud dim. Mae yna le gwag yn y tu blaen wrth ymyl Eldra ond mae Miss Meredydd yn anwybyddu hwn yn llwyr, ac yn anfon Yvonne hefo cadair i eistedd ar ymyl bwrdd Mandy Price. Mae'n amlwg ei bod hi wedi penderfynu'n barod sut un yw Yvonne. Un o'r haflug difanars. Un i'w sathru'n syth. Mae hi'n gofyn yn uchel, o flaen pawb:

"A faint o Ffrangeg wyt ti wedi'i wneud, Yvonne? Yn ôl yr acen honno gynnau, roeddet ti'n swnio fel Prif Weinidog Ffrainc."

Mae hi'n iawn i weddill y dosbarth chwerthin rŵan. Maen nhw wedi cael yr arwydd. Y tinc sarcastig yn llais yr athrawes, ymyl ei gwefus yn cyrlio. Mae hi'n saff iddyn nhw gangio i fyny ar yr hogan newydd achos bod Miss Meredydd wedi gwneud jôc.

"Dim, Miss."

Mae'r ateb yn annisgwyl. Fel gynnau, mae'n anodd dweud a ydi hi'n bod yn bowld ai peidio. Dim gwersi Ffrangeg? Mae hi naill ai wedi bod yn byw ar y lleuad neu mae hi'n uffernol o ddwl. Dydi'r dosbarth ddim wedi cael gwers mor ddiddorol yn stafell Miss Meredydd ers oes. Mae hyn yn well na'r Simpsons.

"Be'? Doedd yna ddim gwersi Ffrangeg yn dy hen ysgol di felly? Anodd gen i gredu hynny!" Y dôn sarcastig yn ei llais eto. Ciw chwerthin. Daw ambell gigl o ganol y llawr.

"Oedd. Ond doeddwn i ddim yn gorfod mynd iddyn nhw."

Mae'r cyfan yn glir i Miss Meredydd rŵan. Wrth gwrs. Roedd y ferch ddigywilydd 'ma wedi cael ei gwahardd rhag mynd i'r gwersi Ffrangeg, yn doedd? Mae popeth yn dechrau gwneud synnwyr erbyn hyn. Mae hi'n gosod gwaith grŵp i weddill y dosbarth ac yn dod â thaflenni i Yvonne, rhestrau syml o enwau anifeiliaid a lluniau oddi tanyn nhw. Mae Mandy Price yn crechwenu ar y taflenni, yn barod i ddweud rhywbeth, ond mae Miss Meredydd yn ei gorfodi'n sydyn i droi at ei grŵp ar y bwrdd a gadael llonydd i Yvonne lenwi'r daflen. Mae rhyw fath o drefn yn disgyn dros y dosbarth er bod sŵn gwaith llafar yn teyrnasu. Mae Miss Meredydd yn crwydro rhwng y byrddau. Pe bai hi wedi oedi mwy uwchben bwrdd

Mandy a Carys Sbeics mi fyddai hi wedi clywed mwy na sgwrs Ffrangeg mewn caffi.

"Ma'r ffrîc yn dal yma, Mand. Thought she'd be suspended by now, yeah, after the wobbler Mrs Blobby had." Dydi geirfa Gymraeg Carys fawr gwell na'i Ffrangeg hi.

"The Blob hasn't finished with her yet, Caz. Give it time, yeah." Mae Mandy'n parhau yn ei Saesneg gorau, yn talfyrru'r llysenw sydd ganddyn nhw ar gyfer Janis Dafis oherwydd ei chluniau mawr cyn cymryd arni ei bod yn edrych ar ei thaflen waith am fod Miss Meredydd ar ei ffordd draw atyn nhw. "Mi oedd plantio'r Pandora yn ystod y wers jym yn jiniys aidia, yeah? The hippy's in for it now, gei di weld!"

Dydi Yvonne ddim yn gwybod pwy ydi'r 'ffrîc' a'r 'hippy' ond gall ddyfalu. Dydi hi chwaith ddim yn gwybod beth yw holl hanes y freichled Pandora, ond ar ôl gweld dagrau Eldra gynnau gall ddyfalu dipyn go lew am hynny hefyd. A dyfala'n gywir mai Mrs Blobby, Blob a Blobster yw'r enwau haeddiannol iawn ar yr athrawes Addysg Gorfforol. Daw Miss Meredydd at y bwrdd. Dydi Yvonne ddim wedi llenwi'r daflen anifeiliaid, dim ond wedi dwdlo drosti i gyd. Am ryw reswm, mae ganddi bechod calon dros Eldra, er mai newydd ei chyfarfod mae hi a hynny ddim ond am eiliad cyn i'r wers ddechrau. Dydi hi ddim yn ei nabod, dydi hi erioed wedi'i gweld tan heddiw. Ond rywsut mae hi'n gwybod bod y ferch fach hefo'i hwyneb llygoden wedi cael cam gan y ddwy yma y cafodd ei gorfodi i rannu eu bwrdd ac i oddef eu cwmni plentynnaidd.

"Wel, dyma ddechrau arbennig, Yvonne. Rwyt ti'n gwybod sut i greu argraff, yn dwyt? Biti garw mai braidd yn siomedig ydi'r darlun rwyt ti wedi'i roi i ni ohonot ti dy hun hyd yn hyn!"

Mae hi'n floedd fwriadol i dynnu sylw pawb. Maen nhw ar ei hochr hi go iawn erbyn hyn, pob Mandy a Charys a phawb arall y mae hi'n bwysig iddi ennill eu hedmygedd er mwyn cadw trefn arnynt mewn dosbarth. Alwen Meredydd yn erbyn Yvonne Roberts ydi hi rŵan ac mae'r athrawes am fanteisio'n llawn ar hynny. Mae hi'n dal y llanast o daflen waith i fyny o flaen pawb, yn ei dal rhwng bys a bawd fel pe bai o'n rhywbeth cwbwl anghynnes. Mae ganddi brofiad helaeth erbyn hyn o chwarae i'r dorf.

"Dwyt ti ddim wedi trio, Yvonne. Mae hynny'n amlwg. Does yna ddim gwaith meddwl ar hwn, hyd yn oed. Mae o'n berffaith glir a hawdd gweld mai'r gair am 'cath' ydi 'chat'. Mae yna lun lliw o bob anifail, er mwyn popeth. Iesgob annwl, Yvonne, mi fasai fy nghath i fy hun yn gwneud gwell job ar hwn!"

Dydi hi mo'r jôc ddoniolaf o bell ffordd, ond mae hi'n ddigon o esgus i'r dosbarth chwerthin mwy o lawer nag oedd angen. Mae Alwen Meredydd yn caniatáu cysgod o wên fach iddi hi'i hun am ei chlyfrwch. Edrycha o'i chwmpas. Athrawes – un, merch newydd ddigywilydd – dim. Yr hen Eldra fach sych 'na yn y tu blaen ydi'r unig un nad yw'n gwenu o gwbwl. Dim rhyfedd nad oes neb isio ista wrth ei hymyl. Mae plant fel'na'n elynion iddyn nhw'u hunain, meddylia. Dydi hi ddim ond yn gwastraffu eiliad neu ddwy yn edrych i'w chyfeiriad. Nid Eldra sy'n bwysig rŵan. Ond dydi buddugoliaeth Miss Meredydd ddim yn para'n hir. Cyn i neb sylweddoli'n iawn beth sydd wedi digwydd, mae Yvonne wedi sefyll a gwthio'r gadair mor galed tu ôl iddi nes ei bod yn disgyn yn swnllyd i'r llawr:

"Dwi'n gwbod be' ydi'r gair am gath, y gloman wirion! Dwi'n gwbod be' ydi'r geiriau am bob dim. A dweud y gwir, mae fy Ffrangeg i'n well o lawer na'ch un chi. Dyna oeddwn i'n siarad adra hefo Mam. Ond mae Mam wedi marw rŵan, dyna pam dwi wedi gorfod symud i fyw i'r twll din byd 'ma a gorfod diodda bod yn nosbarth rhyw hulpan fatha chi!"

Mae'r distawrwydd yn fyddarol am ddau reswm: yn gyntaf, does neb, hyd yn oed Mandy Price, erioed wedi meiddio codi a bloeddio yn wyneb unrhyw athro o'r blaen, ac yn ail, ddeallodd neb yr un gair o'r ffrwydrad ar wahân i Miss Meredydd, er bod pawb, o'r disgybl disgleiriaf i'r gwannaf yn y dosbarth yn yn gwybod yn iawn mai yn Ffrangeg oedd y cyfan.

A does neb chwaith, ar wahân wrth gwrs i Miss Meredydd eto, yn gwybod fod hwnnw'n Ffrangeg perffaith. Ond does neb yn amau am funud nad oedd yr hyn a ddywedwyd yn gwbwl ddigywilydd.

"O mai god!"

"Mental!"

"Epic!"

"Be' ddywedodd hi, Miss?"

"Dyna ddigon! Bawb ohonoch chi!" Mae llais Alwen Meredydd fel rhywbeth yn berwi dan gaead. "Yvonne Roberts ..."

Ond dydi Yvonne ddim yn rhoi cyfle iddi orffen. Mae hi'n codi'i bag ysgol gwag oddi ar y llawr ac yn cerdded allan gan roi clep ar y drws a hwnnw'n atsain i'r coridor ar ei hôl. Dychmyga'r holl gegau agored yr ochr arall i'r drws. Mae hi'n edrych fel arwres, fel merch wyllt sy'n malio dim am neb. Ond tu mewn mae hi'n swp o gryndod a'i llwnc hi'n sych. Does ganddi ddim syniad i ble mae hi'n mynd na beth mae hi'n mynd i'w wneud nesaf ac yna mae hi'n eu gweld nhw: athro ac athrawes yn siarad yn uchel ac yn amlwg yn anghytuno am rywbeth. Mae'r athrawes mewn tracwisg goch a chanddi fag trwm a chluniau trymach. Hon, mae'n amlwg, yw Janis 'Y Blobster' Dafis. Mae hi'n codi'i llais yn uwch rŵan ac yn gosod y bag rhwyd, sy'n llawn padiau pennau gliniau a bibiau a pheli hoci, ar y llawr rhwng y ddau ohonyn nhw fel pe bai hi'n paratoi i'w hamddiffyn ei hun mewn ffeit. Dydi Yvonne ddim i wybod tan wedyn mai Rhisiart Wyn, Pennaeth yr Adran Gymraeg, ydi'r dyn. Dydi o ddim yn siarad mewn tôn mor ymosodol ond mae'i wyneb o'n llym a'i lais o'n glir:

"Fedra i ddim credu am funud y byddai'r ferch yn dwyn unrhyw beth oddi ar neb. Dydi o ddim yn gwneud synnwyr. Fuo hi erioed mewn trwbwl yn yr ysgol. Mae arni ofn ei chysgod. Ac mae'n rhaid i mi ddweud, Janis, fy mod i'n meddwl bod y ffordd y doist ti i mewn i fy nosbarth i a dechrau chwilio drwy fagiau pawb yn gwbwl annerbyniol."

Mae Yvonne yn sefyll yn syth o'u blaenau. Dydi hi ddim wedi meddwl o gwbl am yr hyn mae hi'n ei wneud nesaf. Mae'r ddau'n troi i edrych yn syn arni.

"Pwy wyt ti?" meddai Janis Dafis. Dyna'r eildro i rywun ofyn hynny iddi oddi fewn awr. Ond dydi hi ddim yn trafferthu i ateb. Mae ganddi rywbeth pwysicach i'w ddweud.

"Nid Eldra wnaeth."

Mae golwg ddwl ar wyneb Mrs Blobby. Rhisiart Wyn sy'n siarad nesaf:

"Dwi erioed wedi'ch gweld chi o'r blaen, 'mach i, ond mae'n bwysig eich bod chi'n egluro."

"Dwi'n newydd yma. Heddiw. Heddiw dwi'n dechrau yma." Mae'n edrych i fyw ei lygaid. Yn ei drystio, er na welodd hithau erioed mohono yntau tan y munud hwn. “Ond dwi’n gwybod pwy ydi Eldra. Dwi’n gwybod beth ddigwyddodd.”

Mae llygaid Janis Dafis yn bolio o’i hwyneb fel llygaid llyffant. Ond wrth Rhisiart Wyn mae Yvonne yn dweud ei stori.

“Roedd Eldra’n ypsét. A wedyn mi glywais i’r ferch dal ’na, Mandy, yn siarad hefo’i ffrind, rhyw ferch hefo gwallt fatha draenog, ac yn dweud eu bod nhw wedi fframio Eldra, wedi cuddio breslet Pandora rhywun yn ei bag hi er mwyn iddi gael ei chyhuddo o ddwyn.”

Mae Mrs Blobby’n gwgu arni ac yn gwneud i Yvonne ei chasáu’n syth. Dydi’r athrawes ddim wedi cymryd at y ferch newydd yma chwaith. Mae hi’n rhy bowld, yn fwy hyderus nag y dylai disgybl fod, yn enwedig ar ei diwrnod cyntaf. Gall Yvonne ddarllen y cyfan yn oerni’r llygaid llyffant. Dydi hi ddim yn rhoi cyfle i’r Blob gael ei phig i mewn.

“Does dim rhaid i chi fy nghoelio i. Ond pam na faswn i’n dweud y gwir? Dydi o’n ddim byd i mi. Dwi’m yn nabod yr un ohonyn nhw. Ond beth sy’n iawn sy’n iawn.”

A chyda hynny mae Yvonne yn troi ar ei sawdl a’i bag gwag dros ei hysgwydd, ac yn gadael tir yr ysgol heb ganiatâd gan neb.

Eldra

Mae Yvonne yn gallu siarad Ffrangeg go iawn! Fedra i'm credu'r peth. Fedar neb gredu'r peth. Mae'r wers wedi troi'n siambls. Dydw i ddim yn meddwl y gall hyd yn oed Miss Meredydd gael trefn ar bethau heddiw. Mae pawb i fod yn gwneud gwaith llafar mewn grwpiau ond dydyn nhw'n gwneud dim byd ond siarad am yr hyn sydd newydd ddigwydd. Dwi wedi gorfod troi at fwrdd arall am nad oes gen i bartner ond fyddai waeth i mi fod yn dal i ista ar fy mhen fy hun ddim oherwydd does neb yn siarad hefo fi p'run bynnag. Dwi'n casáu gwaith grŵp. Mae o mor greulon. Yn enwedig i bobol fatha fi, pobol sy'n rhy swil ac od i wneud ffrindiau. Pam nad ydi athrawon yn deall hynny?

Mae'r genod ar fy mwrdd i'n clegar fel tyrcwns Dolig. Yvonne, wrth gwrs, ydi testun eu sgwrs nhw a phawb arall.

"Wariar!"

"Welsoch chi wyneb Alwen Meredydd? *Priceless*!"

"A ma hi'n siarad Ffrensh!"

"Sgwn i be' ddudodd hi?"

"Rwbath am gath!"

Dydw i ddim yn rhan o'r sgwrs, dim ond ar y cyrion fel arfer. Er nad ydw i'n nabod dim ar Yvonne, dwi'n falch nad oes disgwyl i mi ymuno yn y clecs. Mae yna rywbeth amdani na alla i mo'i egluro'n iawn. Mi faswn i'n taeru'i bod hi, mewn ffordd ryfedd, ar fy ochr i rywsut. Dydw i ddim cweit yn siŵr pam, ond doedd hi ddim yn edrych yn od arna i fel bydd pawb arall yn ei wneud. Roedd hi fel pe bai hi, yn yr eiliadau cyntaf hynny pan gyfarfyddon ni, yn fy nerbyn i'n syth am yr hyn oeddwn i – merch fach denau, unig, gîci hefo esgidiau hen ffasiwn â'i gwallt mewn dwy blethen blentynnaidd yn crio mewn ystafell ar ei phen ei hun. Roedd golwg fel rebel arni yn y ffordd roedd hi'n amharchu'i gwisg ysgol ac yn cnoi gwm fel gangstar. Y math o ferch fydd yn codi ofn, fel arfer, ar rywun fatha fi. Merch fel Mandy.

Ac eto, doedd gen i ddim ofn hon. Roedd hi'n hyderus, yn ymosodol ei ffordd hyd yn oed, ond nid tuag ataf i. Teimlwn bron yn gartrefol yn ei chwmni. Bron yn saff. Mae hynny'n beth gwirion i'w ddweud am rywun dydach chi ddim ond newydd ei gyfarfod, ond mae o'n wir. Dwi hyd yn oed yn poeni amdani rŵan, yn meddwl tybed beth sydd wedi digwydd iddi, lle mae hi, a hefo pwy? Ac yna, ar draws fy meddyliau, ar draws popeth, mae ffôn y dosbarth yn canu. Mae distawrwydd yn disgyn yn naturiol dros yr ystafell oherwydd bod pawb mor fusneslyd. Pwy sy'n cael ei alw allan y tro hwn? Wedi'r cyfan, mae Yvonne wedi gadael yn barod. Ac mae'r sylweddoliad sydyn yn fy nharo fi. Y freichled, y cyhuddiad o ddwyn. Mae Janis Dafis yn amlwg wedi fy riportio fi i'r prifathro bellach.

"Ydi, mae hi yma. Iawn, mi wna i ei hanfon i lawr rŵan."

Yn y distawrwydd chwilfrydig, annaturiol mae pawb yn clywed llais yr athrawes wrth iddi ateb y ffôn. Dwi'n dechrau codi fy mag oddi ar y llawr er mwyn cadw fy llyfrau ynddo. Mae yna gnonyn ym mhwll fy stumog. Does gen i ddim stori i'w dweud heblaw'r gwir ac eto mi wn na fydd neb yn fy nghredu. Fel dwi'n barod i godi ar fy nhraed mae Miss Meredydd yn galw enw. Ond nid fy enw i ydi o.

"Mandy Price, mae'r prifathro isio dy weld yn syth, felly pacia dy bethau a cher i lawr rŵan achos mae hi bron yn ddiwedd y wers."

Mae'r sioc ar wyneb Mandy'n amlwg. Dydi Carys Sbeics ddim yn edrych yn rhy gyfforddus chwaith. Fel arfer, pan fydd Mandy mewn helynt dydi Carys byth yn bell iawn oddi wrthi. O fewn dim mae'r gloch yn canu ar ddiwedd y wers. Dwi'n cadw fy mhethau'n fwriadol o araf, yn hanner disgwyl clywed y ffôn eto yn dweud mai dyma fy nhro i. Ond na. Dim. Does dim golwg o Mandy na Carys wrth i mi gerdded o'r dosbarth ac ar hyd y coridor am y grisiau. Dim golwg ohonyn nhw wrth i mi gamu trwy'r drysau dwbwl, croesi'r iard a cherdded allan trwy'r giât.

Does dim golwg o Yvonne chwaith.

Ffrindiau

Dydi Yvonne ddim yn cael ei chosbi. Mae hi wedi disgwyl hynny ond ddigwyddodd dim byd. Rhyfedd hefyd. Ond dydi hi ddim i wybod mai Alwen Meredydd oedd ar fai mewn gwirionedd. Ddarllenodd honno mo'r ebost a anfonwyd ati ac at yr holl athrawon eraill gan y Pennaeth Blwyddyn yn egluro sefyllfa Yvonne Fflur Roberts a oedd wedi colli ei mam yn ddiweddar; Yvonne Fflur Roberts a oedd yn siarad Ffrangeg yn rhugl a bod angen darparu gwaith ymestynnol arbennig ar ei chyfer yn y wers honno, nid taflenni ar gyfer dysgwyr arferol.

Mae hi'n dychwelyd i'r ysgol ar ddechrau'r wythnos ganlynol i ddarganfod nad oes golwg o Mandy Price na Carys Sbeics yn unlle. Mae hi'n sylwi hefyd fod golwg hapusach ar Eldra ers y tro cyntaf iddi'i chyfarfod. Rhywbeth arall mae hi'n sylweddoli ydi pa mor awyddus ydi pawb i fod yn ffrindiau hefo hi. Mae hanes y digwyddiad yn y dosbarth Ffrangeg wedi mynd ar hyd ac ar led. Mae Yvonne Roberts yn dipyn o arwres. Mae hi hefyd yn ddirgelwch. Mae pawb yn chwilfrydig ynglŷn â'r ferch newydd nad oes ganddi ofn neb; dydi hi ddim yn talu sylw i reolau gwisg ysgol nac i eiriau athrawon. Ac eto, dydi hi ddim yn poeni am ffitio i mewn, am blesio pobl eraill, a dyna sy'n ei gwneud hi mor ddeniadol. Mae yna rywbeth yn ei chylch sy'n tynnu pawb ati, rhyw hud rhyfedd sy'n gwneud iddyn nhw gystadlu am ei sylw. Ond yn rhyfeddach fyth, mae hi fel pe bai hi isio bod yn ffrindiau hefo'r Eldra fach od 'na.

"Dwyt ti ddim yn cîn ar wersi jym, nag wyt?"

Mae Eldra'n edrych yn syn arni, ei llygaid mawr yn gwneud ei hwyneb bach hi'n llai fyth. Edrycha'n debycach nag erioed i lygoden ofnus. Does dim angen iddi ateb. Mae'i nerfusrwydd yn amlwg.

"Mi wna i fod yn bartner i ti, Eldra. A dydi Carys a Mandy ddim yma. Paid â phoeni am y ddwy hwch yna. Na'r hwch yma chwaith!"

Ac wrth ddweud hynny mae hi'n amneidio'i phen i gyfeiriad Janis Dafis. Fedar hyd yn oed Eldra ddim peidio gwenu wrth glywed hyn. Am y tro cyntaf yn y gwersi Addysg Gorfforol, mae hi'n teimlo'n saff. Er bod Mrs Blobby'n arthio ar bawb o'r drws i'w siapio hi wir a pheidio gwastraffu amser neu mi fyddan nhw'n ad-dalu'r munudau yn ystod yr egwyl, does gan Eldra mo'r un ofn rŵan. Mae'n anodd egluro'r peth. Mae hi fel pe bai'r ferch newydd bowld 'ma'n gallu darllen ei meddyliau. Dyma'r math o ferch y dylai hi, Eldra, ei hofni. Ond am ryw reswm, mae hi'n teimlo fel pe bai hi'n rhyw fath o angel gwarcheidiol mewn clustdlysau mawr, anaddas.

"Dwi'n gobeithio dy fod ti'n bwriadu tynnu'r pethau coman 'na o dy glustiau'n syth, Yvonne Roberts!" Mae llais yr hen Flobsan yn atseinio rhwng waliau'r ystafell newid.

"Efallai nad wyt ti'n gyfarwydd â holl reolau'r ysgol eto, ond mae synnwyr cyffredin yn dweud bod clustdlysau fel'na'n beryg bywyd. Yn ogystal â bod yn hyll!"

"Fatha chdi felly."

Ond o dan ei gwynt mae Yvonne yn dweud hyn. Mae'n rhoi winc ar Eldra, yn tynnu'r clustdlysau ac yn eu gosod ar gledr llaw'r athrawes. Mae honno'n edrych arnyn nhw fel pe bai hi'n gorfod gafael mewn cocrotsien.

"Rho nhw ar fy mwrdd i. Mi wna i eu cadw tan ddiwedd y wers." Wedyn mae hi'n gwneud rhyw hen sioe fach sbeitlyd o newid ei meddwl. "Na, diwedd yr wythnos, erbyn meddwl. O leiaf wedyn fydd dim rhaid i neb ddioddef eu gweld nhw tan hynny."

Dydi wyneb Yvonne ddim yn dangos unrhyw emosiwn. Mae hi'n codi'i hysgwyddau'n ddi-hid ac yn ufuddhau. Does dim affliw o ots. Mae ganddi glustdlysau eraill erbyn fory. Rhai sy'n tynnu llawer mwy o sylw na'r rhain.

Eldra

Rhisiart Wyn, Pennaeth yr Adran Gymraeg, sy'n dod ata i i gael gair. Nid y Prifathro'i hun. Nid Mrs Blobby.

"Mae popeth wedi'i sortio." Mae'i lygaid o'n garedig. Un o'r athrawon llymaf yn yr ysgol. A does gen i ddim o'i ofn o. Dydw i ddim mewn trwbwl. "Rydan ni wedi cael gair hefo'r drwgweithredwyr."

Mae o'n defnyddio un o'i eiriau mawr Cymraeg, y geiriau hynny nad ydi pobol gyffredin yn eu dweud. Geiriau llyfr. Dydi o ddim yn enwi Mandy a Carys ond does dim rhaid iddo. Mae o'n ychwanegu na fyddan ni'n eu gweld yn yr ysgol am sbelan. Nid dyna'n union mae o'n ei ddweud. Chawn ni mo'n anrhydeddu â'u cwmni nhw am y rhawg. Rhywbeth fel'na. Ond mae hynny'n gliriach na chlir i mi.

Yn ystod y bore, mae Abi Hughes yn dod draw i ddweud 'sorri' am fy amau i. Dydi hi ddim yn ei feddwl o. Mae'n debyg mai Rhisiart Wyn sydd wedi'i gorfodi i ddweud. Dim ots. O leiaf mae hi'n gwybod nad fi wnaeth. Wn i ddim pa mor hapus ydi hi am hynny chwaith. Roedd o'n ei siwtio hi i fy meio i. Fydd hi ddim yn siŵr iawn rŵan sut i wynebu Mandy. Mae hi'n troi ar ei sawdl yn ddigon surbwch ac yn dychwelyd at ei ffrindiau. Dydi hi ddim yn gwisgo'i breichled Pandora heddiw, nac unrhyw fath o emwaith arall. Yn wahanol i Yvonne.

Dwi'n meddwl amdani ddoe yn y wers Addysg Gorfforol yn cael ei gorfodi i roi'r hŵps aur o'i chlustiau i Janis Dafis. Dwi'n cofio'r olwg yn ei llygaid. A dwi'n dechrau deall beth mae'r sglein honno ynddyn nhw'n ei olygu. Heddiw mae'r clustdlysau sydd ganddi'n fwy fyth o sioe: plu hir, pinc yn sownd wrth res o fwclis bach amryliw. Mae hi'n edrych fel Pocahontas.

"Licio dy îrings di," meddai Abi Hughes.

Dwi ddim yn siŵr ai'r clustdlysau mae hi'n eu hedmygu go iawn ynteu'r strîc rebel 'ma sydd yn Yvonne. Mi fyddai Abi wrth ei bodd yn bod fel'na pe bai ganddi'r gyts. Mae Yvonne yn ennyn edmygedd. Nid fel Mandy a'i chronis sydd ddim ond yn fwlis. Does neb isio bod felly, ond mae pawb yn eu hiwmro nhw, yn cogio chwerthin hefo nhw, rhag ofn. Jyst powld a dwl ydi Mandy Price. Ac mae hynny'n gwneud iddi edrych yn goman. Dydi Yvonne ddim cweit felly. Mae hi'n gwrthryfela yn erbyn awdurdod, ond nid coman ydi hi. Mae hi'n gyfrwys, yn glyfar. Yn cŵl. Ac mae ganddi hi a fi rywbeth hynod annisgwyl yn gyffredin. A dweud y gwir, mae o'n gwbl anhygoel.

Mi arhosodd Yvonne wrth fy ymyl yn ystod y wers jym fel pe bai hi'n gwylio rhag i rywun ymosod arna i. Ond wnaeth neb. Yn hytrach, roedd y genod i gyd yn gleniach nag arfer, dim ond oherwydd ei phresenoldeb hi wrth fy ochr. Roedden nhw'n fy nghynnwys i yn eu grwpiau, dim ond er mwyn ei chynnwys hi. Roedd o'n deimlad braf am unwaith. Cael fy nhrin fel pawb arall. Cael bod yn aelod o dîm. Dyna'r tro cyntaf i mi fwynhau gwers Addysg Gorfforol. Y tro cyntaf i mi anghofio pwy oeddwn i, anghofio amdana i fy hun a mwynhau'r symud a'r rhedeg a'r cydweithio a'r chwysu.

Roedd hi'n newid wrth fy ymyl i ar ôl y wers ac mi sylwodd yn sydyn, fel mae hi'n sylwi ar bopeth, fy mod i'n tynnu fy sanau jym arferol ar dipyn o frys er mwyn gwisgo'r lleill. Wel, yr hosan ar fy nhroed chwith, a bod yn fanwl gywir. Mae o'n ail natur i mi rŵan, rhag i neb weld. Dim ond tynnu coes fyddai pawb arall. Dim ond esgus arall i sbeitio fyddai o pe bydden nhw'n gweld y man geni ar fy ffêr.

"Paid â'i guddio fo, Eldra."

"Be' ti'n feddwl ...?"

"Hwnna. Ar dy ffêr di. Mi welais i o pan oeddet ti'n tynnu dy hosan gynnau."

Ddywedais i ddim byd. Dim un gair. Wedyn dyma Yvonne yn tynnu'i hosan chwith. Ac yno, ar ochr ei ffêr reit uwchben ei throed, roedd man geni. Aderyn. Gwennol fach olau, las a honno'n hedfan.

"Dangos dy ffêr," meddai hi.

A dyna wnes i. Doedd dim amheuaeth. Roedd y ddau fan geni yn yr un llefydd. Yr un siâp. Yr un lliw glas. Dyna pam fod pobol wedi meddwl mai tatŵ oedd fy ngwennol fach i a sbio'n feirniadol ar Mam, meddai hi, pan fyddai hi'n mynd â fi i fy ngwersi nofio'n blentyn bach. Tatŵ i blentyn mor ifanc? medden nhw. Nes iddi egluro. Man geni. Ia, glas. Mae yna rai glas. Oedd, roedd o ganddi pan gafodd ei geni. Roedden nhw'n newid eu cân wedyn. Tlws, medden nhw. Deryn bach. Anghyffredin.

Ond nid mor anghyffredin â hynny, mae'n rhaid.

Ac eto ...

"Dwyt ti ddim yn meddwl bod hyn yn od, Eldra?"

Oeddwn. Wnes i ddim cysgu winc neithiwr yn meddwl am y peth. Dwi'n edrych arni rŵan, ar ei chlustdlysau plu a'i ffrinj piws. Ydan ni'n rhyw fath o berthyn? Rhyw gyfnitherod o bell heb i ni fod yn gwybod hynny? Efallai fod hynny'n egluro'r dynfa sydd rhyngon ni, y ffaith ei bod hi'n edrych ar fy ôl i pan nad ydi hi hyd yn oed yn fy nabod i'n iawn, y ffaith fy mod i'n teimlo'n saffach ac yn fwy hyderus yn ei chwmni?

Dydan ni ddim wedi sôn dim am y peth heddiw. Am y wennol. Ond mae'r ddwy ohonom yn gwybod y bydd yn rhaid i ni siarad am y peth rywbryd. Mae o yna, yn ein llygaid ni, bob tro rydan ni'n edrych ar ein gilydd. Mae o'n ffrwtian dan yr wyneb fel cawl dan gaead sosban. Mae o'n beryglus.

Unwaith y down ni at galon y gwir, fydd yna ddim troi'n ôl.

Atebion

Mae'r llythyr ar ddesg ei thad, wedi'i stwffio'n ôl yn flêr i'r amlen ddiarth hefo'r rhimyn streipiog coch a gwyn yn fframio'r ymylon. Air Mail. Par Avion. Y stamp dynnodd ei sylw fwyaf, stamp ac arno lun wyneb cangarŵ. Stamp Awstralia. Pwy mae'i thad yn ei nabod yn fanno? Chlywodd hi erioed mohono fo na'i mam yn sôn am unrhyw berthnasau na ffrindiau oedd ganddyn nhw'n byw yn y fan honno. Od. Dydi Yvonne erioed wedi edrych ar bost ei thad o'r blaen. Wnaeth ei rhieni erioed fusnesa yn ei llythyrau hi chwaith. Mae hi wedi cael ei dysgu i barchu preifatrwydd. Nid ei bod hi wedi cael llythyrau gan neb ers amser maith. Tecstio ac ebostio a Facebook ydi'r ffyrdd o gyfathrebu bellach. A dyna sy'n gwneud i bopeth ynglŷn â'r llythyr yma o dramor ymddangos mor rhyfedd. Does yna neb yn sgrifennu llythyrau'r dyddiau hyn, oni bai eu bod nhw yn y carchar. Pwy mae'i thad yn ei nabod mewn lle felly? Yn enwedig yn Awstralia. Mae rhywbeth arall yn ddirgelwch ynglŷn â'r llythyr yma. Cafodd ei anfon i'w hen gyfeiriad. I'r hen dŷ. Eu cartref blaenorol. Y bobl newydd sy'n byw yno rŵan sydd wedi'i ailgyfeirio. Golyga hynny nad yw'r sawl a anfonodd y llythyr yn gwybod ei bod hi a'i thad wedi symud oddi yno.

Mae hi'n cyffwrdd yn yr amlen-deneuach-nag-arfer. Yn cynhyrfu drwyddi. Yn gwybod yn iawn na ddylai hi wneud hyn. Ac yn sydyn, mae'r syniad mwyaf absẃrd a ffantasïol yn cydio ynddi, yn meddiannu'i dychymyg. Efallai mai ei mam sgrifennodd y llythyr! Efallai nad ydi hi ddim wedi marw o gwbl ac mai twyll yw'r cyfan. Teimla Yvonne ei chalon yn cyflymu, yn curo mor galed nes iddi'i theimlo'n codi i'w gwddw bron ac yn bygwth ei thagu. Mae hi'n creu stori wyllt yn ei phen, yn ewyllysio i'r twyll fod yn wir, fod ei mam wedi cael ei chyhuddo o ryw drosedd ar gam a'i bod mewn jêl yn Awstralia. Mae pethau fel hyn ar y newyddion bob dydd. Ie, dyna sydd wedi digwydd. Maen nhw'n cuddio'r gwir oddi wrthi nes ei bod hi'n ddigon hen i ddeall a ...

"Yvonne? Wyt ti adra?"

Mae llais ei thad yn cael yr un effaith ag ergyd gwn. Gollynga'r llythyr yn ôl ar ei ddesg heb gael cyfle i edrych arno. Mae'i thad yn sefyll tu ôl iddi, ei gysgod yn llenwi ffrâm y drws. Fedar hi ddim celu'r hyn yr oedd hi ar fin ei wneud.

"Dad!"

Mae'i heuogrwydd hi'n goch ar hyd ei bochau. Wnaeth hi ddim byd, dim ond meddwl am y peth. Ond mae o cyn waethed â'i wneud. Er gwaethaf hyn i gyd mae hi'n troi i'w wynebu. Mae'r ffantasi'n dal yn fyw yn ei phen. Ydi'i mam yn fyw yn Awstralia? Pam nad ydi hi'n ymwybodol o'r ffaith eu bod nhw wedi symud tŷ? Ai wedi gwahanu maen nhw? Cael ysgariad? Ydi ei mam wedi rhedeg i ffwrdd a'u gadael am fod ganddi gariad newydd? Digwyddodd rhywbeth felly i un o'i ffrindiau yn ei hen ysgol. Ond rywsut, fedar hi ddim dychmygu y byddai'i mam hi'i hun yn gwneud rhywbeth mor dan din. Mae hi'n flin hefo'i rhieni am ei rhoi hi drwy'r uffern yma, wrth gwrs ei bod hi, ond mae hi'n fodlon maddau unrhyw beth pe bai hi'n darganfod mai'r gwir go iawn ydi bod ei mam yn fyw o hyd.

"Ddarllenaist ti o?" Dydi'i lais o fawr uwch na sibrydiad.

"Naddo." Mae hi'n edrych i fyw ei lygaid er mwyn dangos ei bod hi'n dweud y gwir, ac yn gweld y braw'n gadael ei wyneb yn araf fel y gwynt yn gollwng o hen falŵn. Ond cheith o ddim mwynhau'r eiliadau yma o ryddhad. Dydi o ddim yn eu haeddu. "Mae hi'n dal yn fyw, tydi, Dad?"

Mae'r sioc o glywed hyn yn waeth na'r un a gafodd eiliad yn ôl pan feddyliodd ei bod hi wedi darllen y llythyr. Fedar o wneud dim, dim ond sefyll yno'n agor ei geg fel pysgodyn. Mae'r geiriau wedi'i adael yn fud. Drip drip. Tip tap. Fel rhythm glaw'n diferu oddi ar do'r sied i'r bwced wag islaw, mae sŵn y cloc yn llenwi'r distawrwydd. Y cloc o Next Home a'i wyneb mawr yn gweld ei gyfle i argyhoeddi pawb nad twrw tic-toc arferol sydd ganddo: mae o'n rhy ffasiynol i hynny. Mae Yvonne yn gweld ei chyfle hefyd.

"Yn Awstralia mae hi, ynte, a dach chi'ch dau'n trio cuddio'r ffaith am ei bod hi wedi gwneud rhywbeth ofnadwy. Ond does dim ots gen i, Dad. Hyd yn oed os ydi hi wedi dwyn rhywbeth. Wedi smyglo cyffuriau. Hyd yn oed os ydi hi wedi lladd rhywun. Mi fedra i dderbyn hynny i gyd, cyn belled â'i bod hi'n fyw!"

Mae'r gobaith creulon yn llygaid ei ferch yn llorio tad Yvonne. Daw i gyrcydu o'i blaen a chydio yn ei dwylo. Dydi o ddim wedi sylweddoli tan y munud hwn pa mor anodd ydi hi iddi ddygymod â cholli'i mam. Y brafado i gyd, herio athrawon, y lliw pinc yn ei gwallt, y clustdlysau-tynnu-sylw gwirion 'na: mae hi wedi bod yn cuddio'i thorcalon tu ôl i'r cyfan. Mae o wedi gofyn gormod ganddi – symud tŷ, newid ysgol, popeth, ac mae o wedi gofyn yn rhy fuan er iddo gredu'i fod o'n gwneud y peth iawn. Ei helpu i symud ymlaen. Ond sut fedrai o ddisgwyl hynny ac yntau'n methu'n glir â symud ymlaen ei hun ar ôl colli'i wraig? Mae'i alar ef ei hun wedi'i ddallu i anghenion eu merch. Mae'r euogrwydd yn llifo drosto. A rŵan mae ganddo rywbeth arall mae'n rhaid iddo gyfaddef wrthi, a dydi o ddim yn gwybod ymhle i ddechrau.

"Nid llythyr oddi wrth dy fam ydi hwn, Yvonne fach."

Mae o'n siarad mor dyner ag y gall, yn gostwng ei lais ac yn edrych i fyw ei llygaid mawr. Dydi hi ddim yn ateb, dim ond yn edrych arno tra mae'r stori a greodd iddi hi'i hun funudau'n ôl yn dechrau datgymalu yn ei phen.

"Ti'n gwybod pa mor sâl oedd hi. Pa mor ddewr oedd hi. Fel roeddet tithau'n ddewr, cariad, yn helpu i edrych ar ei hôl ac yn aros yn gryf iddi hi. Mae o'n anodd a phoenus a thorcalonnus i ni sy'n dal yma ac mi gymrith hi amser hir i ni'n dau allu derbyn y peth."

Dydi Yvonne ddim yn credu y gall fyth dderbyn y ffaith bod ei mam ifanc, ddel, fyrlymus, gariadus wedi marw. Mae'r cyfan mor annheg, mor greulon.

"Roedd hi'n edrych mor dlws, Dad."

Y tro olaf hwnnw. Pan aethon nhw yno i'w gweld i ystafell yr ymgymerwr lle'r oedd hi'n gorffwys. Ystafell wen, yn llawn blodau. Arch wen. A'i mam fel Eira Wen. Yn syndod o hardd. Tywysoges mewn trwmgwsg am byth. Rhoddodd hyn gysur annisgwyl i Yvonne. Cadwai'r darlun yn ei phen er mwyn dychwelyd ato, dro ar ôl tro. Doedd ei mam ddim mewn poen. Doedd ei hwyneb ddim yn llwyd ac yn dioddef fel roedd o cyn iddi farw. Roedden nhw wedi'i gwisgo hi yn ei hoff ffrog haf a gosod rhosyn yn ei llaw. Doedd hi ddim yn edrych fel pe bai hi'n farw. Ddim hyd yn oed yn edrych fel pe bai hi wedi bod yn sâl o gwbl. Pan ofynnon nhw i'w thad a fyddai hi isio gweld ei mam, sylwodd Yvonne ar y poen yn ei lygaid. Wyddai o ddim a fyddai hynny'n beth doeth. Ond roedd Yvonne yn benderfynol. Erbyn hyn gall ei thad ddeall sut byddai Yvonne wedi'i thwyllo'i hun mai dim ond cogio roedd ei mam bryd hynny. Dim ond cysgu. Byddai'r cyfan yn ffitio'n daclus hefo'r ffantasi a greodd o gwmpas y llythyr o Awstralia. Mae'n sylweddoli'n sydyn mai'r unig ffordd ymlaen bellach ydi bod yn gwbl onest, er mor anodd fyddai hynny.

"Roedden ni'n mynd i ddweud wrthot ti, Yvonne, wir rŵan. A wedyn mi aeth dy fam yn sâl. Mi gollon ni'r cyfle."

"Pa gyfle? Dweud beth?"

Ond mae'i thad yn amlwg yn cael trafferth mawr wrth geisio egluro. Mae dagrau yn ei lygaid, ond dydi hynny'n ddim byd anghyffredin bellach. Ni all sôn am ei mam heb fynd yn emosiynol. Dydi hyn ddim bob amser yn helpu Yvonne. Weithiau mi fyddai hi'n hoffi chwerthin wrth siarad am Mam, achos roedd yna gymaint o bethau doniol i'w cofio. Nid tristwch mae Yvonne yn ei gysylltu hefo'i mam ond ysgafnder a hwyl. Mi fyddai'n gwneud lles i'w thad gofio hynny ambell waith.

"Ti'n gwybod faint roedd dy fam yn dy garu di. A hi fydd dy fam di am byth. Fedar neb gymryd ei lle hi. Ti'n gwybod hynny, yn dwyt?"

Ydi, siŵr iawn, mae hi'n gwybod hynny. Does dim angen iddo ddweud rhywbeth mor wirion. O na, dydi o erioed yn bwriadu ailbriodi? Ai dyna mae o'n ei olygu? Na fydd ail wraig iddo fo'n gallu bod yn ail fam iddi hi? Does bosib! Nid mor fuan â hyn? Ond mae'r amheuon hynny'n chwalu bron yn syth wrth iddo ddweud na all neb gymryd ei le yntau yn ei bywyd chwaith ac mai fo fydd ei thad am byth. Ond pam mae o'n dweud hyn?

"Dwyt ti ddim yn sâl hefyd, nag wyt, Dad?"

Fedar hi ddim meddwl am unrhyw reswm arall dros ei eiriau rhyfedd. Mae'i chalon hi'n curo'n gyflymach a'i choesau hi'n gwegian oddi tani. Mae yntau'n gweld yr ofn yn ei llygaid ac yn ei chofleidio'n sydyn.

"O, Yvonne! Dydw i ddim yn gwneud joban rhy dda o hyn, nac'dw? Mi fasa dy fam wedi'i wneud o'n well."

Mae hi'n synhwyro'i nerfusrwydd o, yn cydio ynddo'n dynn, fel pe bai hi'n rhiant ac yntau'n blentyn.

"Ond chdi sydd yma rŵan, Dad. Dweud wrtha i. Beth bynnag ydi o, mi fydd pob dim yn ocê."

Mae o'n edrych arni ac yn cywilyddio.

“Fi ddyla fod yn dweud hynny wrthot ti, Yvonne fach.”

“Ond be’ sy’n bod, Dad? Ydi hyn i gyd oherwydd y llythyr ’na o Awstralia?”

Mae o’n codi’n araf ac yn estyn y llythyr iddi oddi ar y ddesg.

“Darllena fo dy hun.”

“Be’? Ond ...”

“Na, Yvonne, darllena fo. Mae yna ormod o gyfrinachau wedi bod dros y blynyddoedd ac mae bai ar dy fam a finnau am beidio dweud wrthot ti’n gynt.” Mae o’n troi am y drws. “Mi fydda i yn y gegin yn gwneud panad i ni ac mi wnawn ni siarad ar ôl i ti orffen ei ddarllen o. Mae’r gwir i gyd yn fanna. Ond cyn i ti wneud, cofia’r peth pwysicaf un: fi a dy fam ydi dy rieni di, ac er nad ydi hi ddim yma, dy fam fydd dy fam am byth. A chdi ydi fy mywyd i rŵan, Yvonne. Ti’n ferch i mi a dwi’n dy garu di. Addo i mi dy fod ti’n deall hynny cyn darllen hwn.”

“Dwi’n addo, Dad.”

Mae arni hi isio iddo fo aros yn yr ystafell ac eto mae arni hi isio llonydd hefyd. Mae o’n gwneud y peth iawn yn mynd i wneud panad. Dydi hi ddim eto’n bedair ar ddeg oed ond mae o’n ei thrystio hi hefo beth bynnag sydd yn y llythyr. Mae hi’n ei barchu am hynny. Dydi hi ddim yn siŵr a fyddai’i mam wedi gwneud yr un peth. Ond fel y dywedodd ei hun gynnau, ei thad sydd yma bellach. Dyma'i ffordd o o wneud pethau. Mae hi'n eistedd ar gadair y ddesg ac mae'r lledr yn llithrig. Lle diarth ydi stydi'i thad yn y tŷ yma, yn llawn bocsys o lyfrau sy'n disgwyl am gael eu gwagio. Hiraetha am y stydi yn yr hen gartref, a'r rhesi o luniau ohonyn nhw fel teulu, ohoni hi a'i mam, gyda'i gilydd ac ar wahân, y papurau newydd, y pacedi pethau da a'r blerwch. Mae hi'n tynnu'r llythyr fflimsi o'r amlen hefo'i ffrâm streipiog ac yn dechrau darllen.

Eldra

Dwi'n codi'r peth wrth y bwrdd bwyd amser swper. Mae yna fwy o siawns y caf i ateb call os ydi Dad yna hefyd. Mae gan Mam ryw ffordd o osgoi cwestiynau chwithig drwy fynd â'r sgwrs ar drywydd arall bron cyn i neb sylwi fod hynny'n digwydd. Erbyn i chi sylweddoli ei bod hi wedi llwyddo i ddargyfeirio popeth yn llwyr, mae'r cyfle wedi'i golli. Mae hi'n un dda am godi sgwarnogod, fel byddai Taid yn galw'r arferiad 'ma sydd ganddi o droi'r stori o hyd. Mae hi'n gallu bod yn ddifyr ac yn ddoniol mewn sgwrs, ond ambell waith, pan fydd hi'n dechrau sôn am rywbeth arall yn sydyn, mi fydda i'n amau a ydi hi wedi bod yn gwrando arna i go iawn.

Cheith hi ddim cyfle i gyfeirio'r sgwrs i rywle arall heno, mi wna i'n siŵr o hynny. Er bod y swper yn flasus, fel arfer, does gen i fawr o awydd bwyd. Mae gen i ryw deimlad rhyfedd y bydd fy nghwestiwn i'n taflu'r ddau ohonyn nhw. Dwi'n iawn.

"Oes gan rywun arall yn y teulu fan geni tebyg i'r wennol sydd gen i ar fy ffêr?"

Dydw i erioed wedi gofyn dim byd fel hyn o'r blaen, dim ond derbyn y wennol am yr hyn ydi hi.

Wedi'r cyfan, mae hi wedi bod yno erioed, yn rhan ohonof, mor naturiol â chael bys bach, neu glust neu drwyn. Mae'r saib cyn i Mam ateb yn fyr ond yn ddigon hir i dynnu sylw at sŵn cyllyll a ffyrc yn crafu platiau.

"Be' wnaeth i ti feddwl am hynny rŵan?" meddai Mam. Clasic. Ateb cwestiwn hefo cwestiwn. Wneith hi mo fy nrysu i'r tro hwn.

"Wel? Oes yna rywun arall hefo man geni anghyffredin? Does gan yr un o'r ddau ohonoch chi un, nac oes?"

"Dim i mi fod yn gwybod," meddai Dad yn ysgafn, "er bod gen i graith fach wen ar fy mhen-glin chwith, ond fy mrawd wnaeth hynny pan oedden ni'n blant drwy fy hitio hefo car bach tegan."

"Felly does yna ddim posibilrwydd ei fod o'n rhywbeth teuluol? Does gen i ddim cyfnither na wnes i erioed ei chyfarfod a allai fod hefo gwennol fach uwchben ei throed fatha fi?"

Does neb yn ateb ond mae'n ddigon i mi sylwi ar yr edrychiad od sy'n pasio rhwng y ddau ohonyn nhw. Mae Mam yn cael pwcs bach cyfleus o dagu wedyn, ac yn gofyn i mi basio'r jwg ddŵr ar draws y bwrdd.

"Ti'n iawn, Gwenno?" Mae consýrn Dad yn hollol ddiangen gan ei bod hi'n amlwg ei bod hi'n berffaith iawn ac mae hithau, yr un mor ddiangen, yn cynnig eglurhad.

"Llyncu'n groes, dyna i gyd."

Ac mae hi'n codi ar ei thraed ryw fymryn yn rhy gyflym er mwyn clirio platiau gweigion.

"Rŵan 'ta, pwdin. Mi ges i fwyar duon ffresh bore 'ma ar gyfer tarten. Tarten fwyar duon. Ffefryn dy daid. Ti'n cofio fel byddet ti, Eldra, yn mynd i hel mwyar duon efo Taid i Goed Nant a'u casglu nhw yn y piser bach hen ffasiwn hwnnw oedd gan dy nain?"

A dyna sgwarnog arall yn codi o rywle ac yn neidio dros ymyl y bwrdd.

Y Gwir

Nid Céline oedd ei mam. Mae'r gwirionedd fel llyncu carreg, a honno'n drom yn ei stumog.

"Mae mwy na bioleg mewn mam, Yvonne." Ond mae geiriau'i thad yn disgyn i le gwag yn ei hymennydd sy'n gwrthod derbyn, gwrthod meddwl. Yn gwrthod gwneud synnwyr o ddim byd.

"Ti'n swnio fel athro Gwyddoniaeth." Mae'i llais hi'n fflat, ddidaro.

"Rwyt ti mewn sioc ar hyn o bryd."

O, dyma ydi bod mewn sioc, felly? Mae ar Yvonne isio gweiddi a sgrechian a chicio'r waliau, ond does ganddi mo'r egni. Y ddynes a anfonodd y llythyr o Awstralia ydi'i mam fiolegol. Mae hi wedi clywed am farwolaeth Céline, ac am gydymdeimlo â'r teulu. Dyna ddywedodd ei thad. Mae Yvonne yn galetach, yn fwy sinigaidd.

"Cydymdeimlo? Dydi hi ddim yn ein hadnabod ni. Efallai mai wedi mynd i Awstralia i wneud ei ffortiwn mae hi, a rŵan fod ganddi dŷ mawr a digon o arian, mae hi'n ffansïo fy nghael i'n ôl. Llai o drafferth na chael babi arall, bysa?"

Ofn sy'n gwneud iddi swnio'n galed a sbeitlyd.

Mae'i bywyd hi wedi'i droi ben ucha'n isaf. Pam ddylai hi boeni am deimladau rhywun a drodd ei chefn arni dros dair blynedd ar ddeg yn ôl?

"Does yna neb yn mynd i dy gymryd di'n ôl, Yvonne. Fi a dy fam ydi dy rieni di. Mi wnaethon ni dy fabwysiadu di'n swyddogol. Does gan Myfanwy ddim hawl arnot ti. Dy ddewis di a neb arall fyddai'i gweld hi ryw ddiwrnod. Efallai ymhen blynyddoedd."

"Dylech chi fod wedi dweud wrtha i."

"Dwi'n gwybod. Ond pan aeth dy fam yn sâl ..."

Mae Yvonne yn rhedeg at ei thad ac mae o'n ei chofleidio'n dynn.

"Diolch am ddweud hynna, Dad. Dweud 'dy fam'. Achos mai dyna oedd hi. Fedra i byth feddwl amdanoch chi'ch dau fel Ifor a Céline."

"A does dim rhaid i ti. Ond Yvonne, rŵan dy fod ti'n gwybod y gwir, mae yna rywbeth arall."

Mae hi'n edrych arno. Mae hi wedi colli'i mam. Wedi darganfod ei bod hi wedi cael ei mabwysiadu. Beth arall all fod yn waeth na hyn i gyd? Ond mae hi'n gorfod gofyn hynny'n gyntaf. Ei pharatoi'i hun.

"Ydi o'n rhywbeth drwg?"

Mae'i thad yn anadlu'n ddwfn. Yn gafael yn dynn yn ei llaw.

"Na, nid rhywbeth drwg ydi o. Rhywbeth ychwanegol."

"Ychwanegol?"

"Mae dwy ohonoch chi."

"Be'? Dwi ddim yn deall ..."

"Efeilliaid gafodd Myfanwy. Nid un babi. Pan gawsoch chi'ch rhoi i'ch mabwysiadu, mi gawsoch chi'ch gwahanu. Mi driodd dy fam a finnau ein gorau glas i gael hyd i dy chwaer, er mwyn eich mabwysiadu chi'ch dwy. Ond roedd hi'n amhosib."

"Mae gen i chwaer?" Dydi'i llais hi'n ddim ond sibrydiad. Mae'n ormod i'w brosesu. Mae'i phen hi'n troi.

"Does gan Myfanwy ddim syniad lle mae hi erbyn hyn. Wnaeth y rhieni fabwysiadodd y ferch fach arall – dy chwaer – ddim cadw mewn cysylltiad hefo hi. Mae'n bosib nad oedden nhw'n gwybod bod eu plentyn yn un o efeilliaid. Yn wahanol i ni. Mae Myfanwy'n gwybod o'r dechrau mai aton ni ddoist ti."

Mae'r cyfan fel breuddwyd od, ac mae Yvonne yn hanner disgwyl cael pinsiad gan rywun unrhyw funud a deffro'n sydyn. Ond dydi hi ddim yn cysgu a does neb yn mynd i'w phinsio. Yn sydyn iawn mae popeth yn dechrau disgyn i'w le. Yn dechrau gwneud synnwyr yn ei phen hi. Er ei bod wedi cael ei magu'n unig blentyn, mi fyddai hi'n cael rhyw deimlad rhyfedd o hyd fod rhywbeth – neu rywun – ar goll o'i bywyd hi. Doedd o ddim yn rhywbeth roedd hi'n gallu'i ddisgrifio. Nid hiraeth oedd o, oherwydd nad oedd hi ddim yn gwybod bryd hynny fod ganddi chwaer goll. Na, nid hiraeth. Rhywbeth arall. Rhyw chwithdod. Teimlad o fod isio rhannu pethau, ond doedd yna neb yn ddigon cymwys, neb yn ffitio. Roedd hi wastad fel pe bai hi'n chwilio am rywun, dim ond na wyddai hi ddim yn iawn am bwy. Mae popeth yn glir iddi bellach. Mae hi'n un o efeilliaid.

Mae ganddi chwaer.

Does neb yn gwybod lle mae hi.

Neb yn gwybod pwy ydi hi.

Neb ond y hi, Yvonne. Ydi. mae Yvonne yn gwybod yn iawn lle i gael hyd i'w chwaer.

Eldra

Mae hi wedi bod yn benwythnos hir a'r tywydd yn drwm ac yn fyglyd. Felly bydd hi bob amser o flaen storm. Mae taranau yn yr awyr yn rhywle'n bell, bell i ffwrdd. Dim ond bygythiad o sŵn ydi o ar hyn o bryd. Taranu heb y mellt, fel llewes ddiog yn canu grwndi wrth ddylyfu gên. Mae'r cinio Sul drosodd, y peiriant golchi llestri'n chwyrnu yn y gegin a Dad yn chwyrnu ar y soffa. Sul fel pob Sul. Pawb yn llonydd. Neb yn galw. A'r cyfan yn newid mewn eiliad ar ganiad cloch drws y ffrynt.

Llais Mam. Llais arall. Is. Ansicr. Llais Mam eto'n galw fy enw i.

"Eldra? Rhywun i ti."

Pwy ar wyneb y ddaear fyddai isio fy ngweld i? Fydd neb byth yn galw i fy ngweld i. Mae rhywbeth yn corddi tu mewn i mi: cymysgedd o nerfusrwydd a chwilfrydedd. Ydw i mewn trwbwl? Mae busnes y freichled yn dal i lechu yn fy isymwybod. Dwi ddim yn credu fy mod i wedi gwneud dim byd o'i le. Oes yna rywun wedi dod i roi bai ar gam i mi am rywbeth arall?

Mae gweld Yvonne yn sefyll yno ar stepan y drws

yn syndod, nid oherwydd ei fod yn rhywbeth mor annisgwyl, ond oherwydd ei bod hi'n ei hystyried ei hun yn ddigon o ffrind i ddod draw i fy nhŷ. Mae'n amlwg ei bod hi wedi gorfod mynd i'r drafferth hefyd o ganfod lle'r ydw i'n byw. Dydi hi erioed wedi gofyn i mi, a dydw innau erioed wedi dweud wrthi. Doedd dim achos iddi ofyn, nag oedd? Mae hi'n gefnogol i mi yn yr ysgol, ac yn fwy cyfeillgar na neb arall, ond dydw i erioed wedi meddwl amdanon ni'n dwy fel ffrindiau gorau. Nid na fyddwn i'n hoffi hynny, wrth gwrs. Dwi jyst ddim wedi arfer â chael neb sydd isio bod yn ffrindiau go iawn hefo fi.

"Mae Yvonne yn dweud eich bod chi'n ffrindiau yn yr ysgol?"

Mae Mam yn gwneud i'r hyn mae hi'n ei ddweud swnio fel cwestiwn, fel pe na bai hithau'n credu chwaith bod neb isio dod yma ar ddydd Sul i edrych amdana i. Ond dydi hi ddim yn ei ddweud o mewn ffordd greulon, chwarae teg. Fyddai hi byth yn gwneud hynny. Methu cuddio'i syndod y mae hithau. Na chuddio'i llawenydd chwaith. Mae'n amlwg ei bod hi'n falch o fy ngweld i'n gwneud ffrindiau o'r diwedd.

Rydan ni'n mynd i fyny i fy stafell wely i hefo diod oer a'r tun bisgedi, er fy mod i'n dal i deimlo'n llawn ar ôl cinio mawr. Dwi ddim yn siŵr beth i'w ddweud wrthi. Yn sydyn, dwi'n teimlo'n swil. Tu allan i awyrgylch ysgol mae popeth yn wahanol, yn ddiarth ac yn chwithig. Dydi Yvonne, fodd bynnag, ddim yn ymddangos fel pe bai hi felly. Cyn gynted â'n bod ni wedi cael cefn Mam, mae hi'n gostwng ei llais fel pe bai hi'n actio mewn drama, ac yn taflu cipolwg sydyn ar y drws caeedig cyn dweud yn gyfrinachol:

"Roedd yn rhaid i mi dy weld di. Mae hyn yn ofnadwy o bwysig. Mae'n rhaid i mi ofyn rhywbeth i ti."

Mae tôn ei llais yn dechrau fy nychryn i. Beth mae hi'n ei feddwl dwi wedi'i wneud? Dwi'n teimlo fy mochau'n cochi, er nad ydw i'n gwybod pam. Felly dwi wedi bod erioed, euog neu ddieuog, dwi wastad yn troi'r un lliw â thomato. Dim rhyfedd fy mod i'n cael bai ar gam am bopeth. Ond mae'r hyn mae hi'n ei ofyn mor chwerthinllyd o annisgwyl a saff fel na fedra i ddim ateb am funud gan fy mod i'n teimlo cymaint o ryddhad.

"Fy mhen blwydd i?"

"Ia. Be' ydi'r dyddiad?"

"Mae o wedi bod. Yr ail o Fawrth. Felly ti'n rhy hwyr i brynu anrheg i mi!"

Dwi'n difaru'n syth fy mod i wedi mentro dweud jôc o gwbl, heb sôn am ddweud un mor wael. Does dim rhyfedd nad ydi hi'n chwerthin. Dwi'n cymryd llymaid o fy niod achos fy mod i'n teimlo'n stiwpid.

Cau dy geg, Eldra. Ti ddim yn cŵl a fyddi di byth, felly ...

"A finna!"

Mae hi'n torri ar draws fy meddyliau pathetig mor sydyn fel bod y ddiod yn mynd i lawr yn groes a dwi'n cael pwl o dagu. Pan dwi'n dod ataf fy hun o'r diwedd, mae hi'n edrych arna i'n ddifrifol.

"Am gyd-ddigwyddiad!"

Achos ei fod o. Wrth gwrs ei fod o. Ond dydw i ddim yn gwybod beth arall i'w ddweud. Mae'r wybodaeth fel pe bai wedi llorio Yvonne.

"Mae o'n fwy na hynny, Eldra."

"Be' ti'n feddwl?"

"Y man geni."

"Be'?"

"Mae gan y ddwy ohonon ni'r un man geni. Y wennol fach las."

Yn araf bach, dwi'n dechrau prosesu'r ffeithiau mae hi'n eu rhoi i mi. Ond dwi ddim yn ofnadwy o siŵr sut dwi i fod i'w dehongli nhw. Heb ddweud dim byd, mae hi'n tynnu'i hosan ac yn dangos ei ffêr yn union fel y gwnaeth hi yn yr ysgol y diwrnod hwnnw yn yr ystafell newid. Dwi'n edrych arni, yn gwneud yr un peth fy hun unwaith yn rhagor, ac mae ias yn fy ngherddded.

"Be' mae hyn yn ei feddwl, Yvonne? Be' ti'n ei ddweud wrtha i?"

Mae hi'n crynu er nad ydi hi ddim yn oer o gwbl yn yr ystafell. I'r gwrthwyneb. Mae hi'n drymaidd a chlòs, a dwi'n teimlo'r awyr yn dod yn nes, yn pwyso yn erbyn y ffenest.

Mae Yvonne yn tynnu amlen o boced ei chôt.

"Mi gafodd Dad y llythyr yma o Awstralia."

Dwi ddim yn gweld beth sydd gan hyn i'w wneud hefo fi. Mae'n rhaid ei fod o'n cynnwys rhywbeth pwysig, oherwydd mae'i dwylo hi'n crynu wrth dynnu'r papur tenau o'r amlen. Mae'i gên hi'n crynu hefyd, ac mae hi'n edrych fel pe bai hi'n mynd i grio. Ond yn hytrach, mae hi'n gwthio'r llythyr i fy llaw.

"Darllen o, Eldra."

"Ond fedra i ddim, siŵr iawn."

"Pam?"

"Mae o'n breifat, yn dydi? Llythyr dy dad ydi o ..."

"Jyst darllen o, Eldra. Plis!"

Mae'i llygaid hi'n daer, yn desbret. Dwi'n gostwng fy llygaid, yn dechrau darllen. Mae'r llawysgrifen yn fân ac yn anodd i'w dehongli ar brydiau. Dwi'n edrych yn sydyn ar waelod y llythyr. Rhywun o'r enw Myfanwy McBryde sydd wedi'i sgrifennu o. Dwi'n mynd yn ôl i'r dechrau. Mae'r paragraff agoriadol yn cydymdeimlo â thad Yvonne ar ôl iddo golli'i wraig. Wedyn mae'r Myfanwy 'ma'n holi sut mae Yvonne, yn dweud pa mor od ydi'i galw hi'n hynny a hithau wedi galw'i merch fach yn Siân cyn i'r nyrsys fynd â hi oddi wrthi. Mynd â hi oddi wrthi? Yna daw neges y llythyr yn gliriach: mae Yvonne wedi cael ei mabwysiadu.

"O, Yvonne! Pryd gest ti wybod hyn?"

"Dim ond newydd gael gwybod ydw i. Mi ges i hyd i'r llythyr yn ddamweiniol, ac roedd yn rhaid i Dad ddweud y gwir wedyn. Doedd ganddo fawr o ddewis. Roedd o a Mam wedi bwriadu dweud wrtha i, medda fo, cyn i Mam fynd yn sâl."

"Ti wedi cael dy fabwysiadu, felly?"

Mae hi'n edrych yn rhyfedd arna i.

"Ddim jyst fi, Eldra."

Mae yna rywbeth bron yn fygythiol yn y ffordd y mae hi'n dweud y geiriau.

"Be' ti'n feddwl?"

"Dwyt ti ddim wedi gorffen darllen, nag wyt?"

"Nac'dw, ond ..."

"Darllen o i gyd."

Mae'r brys yn ei llais yn fy sbarduno i edrych eto ar y llawysgrifen bigog, anodd i'w deall. Nid un babi gafodd Myfanwy, ond dau. Dwy ferch. Efeilliaid. Siân a Mari. Rhoddodd enwau iddyn nhw cyn eu rhoi i'w mabwysiadu, er ei bod yn gwybod y byddai'r rhieni fyddai'n eu mabwysiadu yn eu bedyddio o'r newydd. Ifor a Céline Roberts gafodd Siân, a'i galw'n Yvonne. Am reswm na wyddai Myfanwy na neb arall, mae'n debyg, gwahanwyd yr efeilliaid yn fuan wedi'r enedigaeth. Er bod Ifor a Céline wedi holi am y posibilrwydd o fabwysiadu Mari hefyd er mwyn cadw'r chwiorydd hefo'i gilydd, ofer fu'r holl chwilio. *Mae fy ngwennol fach arall i allan yn y byd mawr yn rhywle, a does gen i ddim ond gobeithio ei bod hithau hefyd wedi cael cystal cartref â Siân.* Mae rhywbeth yn y frawddeg yn gwneud i fy anadl rewi yn fy ngwddw. Gwennol fach. Mae Myfanwy'n sôn am y man geni siâp gwennol yn yr un lle'n union, y wennol sydd gan y ddwy fach ar eu fferau. Gwenoliaid fel rhai Yvonne a fi. Dwi'n edrych ar Yvonne. Mae'i llygaid hi'n fawr fel lleuadau.

"Chdi ydi hi, Eldra."

"Yr un pen blwydd. Y man geni. Chdi ydi hi. Fy efaill i. Y chwaer aeth ar goll. Chdi ydi Mari!"

"Naci siŵr! Paid â bod mor wirion ..."

"Fedri di ddim gwadu'r peth, Eldra. Mae yna rywbeth yn ein tynnu ni at ein gilydd o'r dechrau. Mae yna ormod o gyd-ddigwyddiadau ..."

"Ond dydan ni'n ddim byd tebyg!"

"Nid o ran personoliaeth efallai. Ti'n ddistaw, a dwi'n fwy hyderus. Ond sbia arnon ni, Eldra. Y llygaid. Siâp ein trwynau ni!"

Mae hi'n fy nhynnu i ati i sefyll o flaen y drych. Yn tynnu'i gwallt oddi ar ei hwyneb ac yn dweud wrtha innau am wneud yr un peth.

"Mae o yna, Eldra. Y tebygrwydd!"

Mae sglein yn ei llygaid hi sy'n gwneud iddyn nhw edrych yn beryglus. Ond dydi'r cyffro yn ei llais hi'n gwneud dim byd heblaw dychryn mwy arna i. Ydi, mae hi'n iawn. Mae yna ryw fath o debygrwydd ond sut fedra i hyd yn oed feddwl am dderbyn yr hyn mae hi'n ei ddweud fel gwirionedd? Byddai hynny cystal â derbyn y ffaith nad Mam ydi Mam, derbyn nad Dad ydi fy nhad i. Derbyn nad ydi fy nheulu i'n deulu wedi'r cyfan. Mae o'n ormod, mae o'n gelwydd.

"Na. Naaa ... Naaaa!"

Dwi ddim yn sylweddoli am ychydig mai fi sy'n sgrechian. Dros yr ystafell. Dros y tŷ. Sgrechian fel pe bai rhywun yn trio fy llofruddio. Yna mae Mam yn dod o rywle, yn ceisio fy nhawelu i, yn dweud wrth Yvonne y byddai'n syniad da iddi fynd. Y cyfan dwi'n ei glywed wedyn ydi sŵn traed Yvonne yn clepian i lawr y grisiau, y drws ffrynt yn cau, taran agos yn gryndod i gyd a mellten wen yn ei dilyn.

Wynebu'r Canlyniadau

Dydi Eldra byth yn colli'r ysgol. Ond dydi hi ddim yno drannoeth. Does neb yn holi lle mae hi, dim hyd yn oed yr athrawon. Dydi hi ddim fel petai'n ddigon pwysig i neb sylwi ar ei habsenoldeb. Mae hynny'n brifo Yvonne. Fel y gwnaeth ddoe ei brifo hi. Doedd hi ddim wedi disgwyl i Eldra ymateb fel yna. Ond wedyn, beth oedd hi wedi'i ddisgwyl? O leiaf, roedd hi, Yvonne, wedi cael cyfle i ddod dros y sioc. Cofiodd sut roedd hi ei hun wedi teimlo pan gafodd hi wybod y gwir, a difaru ei bod hi wedi ymddwyn mor fyrbwyll. Mi ddylai hi fod wedi paratoi Eldra'n well. Ond dydi'r hyn ddigwyddodd yn nhŷ Eldra – Eldra'n cael sterics a'i mam hi'n gwylltio ac yn anfon Yvonne adra – yn newid dim ar yr hyn mae Yvonne yn ei gredu. Mae hi'n hollol bendant mai Eldra ydi'i chwaer hi. Mai Eldra ydi Mari.

Fedar hi ddim canolbwyntio ar ei gwersi. Fedar hi ddim cysylltu hefo Eldra chwaith. Er bod gan Eldra ffôn, rhywbeth gwirion hen ffasiwn ydi o a dydi hi byth yn ei droi ymlaen beth bynnag. Mae hi'n ystyried Facebook, ond er iddi chwilio dydi hi ddim yn ymddangos bod Eldra ar hwnnw chwaith.

Nid am y tro cyntaf, mae Yvonne yn gwylltio hefo hi. Mae hi mor ddiniwed a hen ffasiwn ac ofnus ynglŷn â phopeth. Oes, mae ganddi gyfrifiadur adra, ond dydi hi ddim ond yn ei ddefnyddio er mwyn gwneud ei gwaith cartref. Fflipin hec, mae hi â'i phen mewn rhyw lyfr neu'i gilydd byth a hefyd. Nid bod dim byd o'i le ar hynny, meddylia Yvonne, ond mae'n hen bryd iddi ehangu tipyn ar ei gorwelion. Mae hi'n ei chysuro'i hun gyda'r sicrwydd y bydd hi'n gallu'i helpu hi i fod yn fwy ffasiynol a hyderus. Wedi'r cyfan, dyna mae chwiorydd i fod i'w wneud!

Mae'r diwrnod yn llusgo. Feddyliodd Yvonne erioed y gallai diwrnod ysgol fod mor ddiflas heb Eldra yno. Llusgo llusgo llusgo. Gair y diwrnod. Mae Yvonne yn llusgo'i thraed wrth gerdded ar hyd y lôn fach sy'n arwain tuag at ei chartref. Mae'i thad yn ôl o'i waith yn barod. Mae hynny'n anghyffredin. Hi fel arfer sy'n cyrraedd yn gyntaf, yn newid ac yn gwneud rhywfaint o waith cartref cyn i'w thad ddod yn ei ôl. Mae'r ddau wedyn yn mynd ati i baratoi swper gyda'i gilydd. Arferiad diweddar ers colli'i mam. Mae Yvonne yn ddiolchgar am hyn i gyd, y drefn, y patrwm dyddiol. Mae rhywbeth arall anghyffredin i'w chroesawu heddiw: car diarth ar y dreif. Er nad ydi o'n hollol ddiarth chwaith. Mae hi'n gwybod ei bod hi wedi'i weld o'r blaen, dim ond nad ydi hi'n cofio ble.

Mae'r cyfan yn disgyn i'w le wrth iddi gerdded i mewn i'r tŷ. Ddoe welodd hi'r car, siŵr iawn. Tu allan i dŷ Eldra. Rhieni Eldra sy'n eistedd ar y soffa. Mae'i thad yn sefyll â'i gefn at y lle tân. Sylwa Yvonne ar wynebau difrifol pawb. Mae'r awyrgylch yn llethol. Mae hi fel pe bai rhywun wedi marw. Na! Edrycha Yvonne mewn braw ar wyneb ei thad. Dydi llinell syth ei wefusau ddim yn llacio. Mae hi'n teimlo'i choesau'n gwegian.

"Lle mae Eldra?"

Ond does neb yn ateb.

"Mae'n well i ti eistedd, Yvonne."

Dydi'i thad ddim yn siarad yn ei lais arferol. Mae o'n swnio'n debycach i athro, neu i ddoctor hefo newyddion drwg. Mae llygaid mam Eldra'n goch, fel pe bai hi wedi bod yn crio. Dydi tad Eldra'n gwneud dim, heblaw syllu i lawr ar ei draed. Mam Eldra sy'n siarad yn gyntaf.

"Rwyt ti wedi ypsetio Eldra a'i dychryn hi'n ofnadwy, Yvonne."

Er gwaethaf llymder ei llais, mae Yvonne yn llwyddo i anadlu'i rhyddhad. Does 'na ddim byd wedi digwydd i Eldra, felly. Dydi hi ddim wedi ... Fedar Yvonne ddim hyd yn oed meddwl am y gwaethaf yn digwydd.

"Y peth ydi, Yvonne," mae'i thad yn anadlu rhwng

geiriau fel pe bai o'n ceisio ymbwyllo, "rwyt ti'n hollol iawn ynglŷn â'r hyn ddywedaist ti."

"Roeddwn i'n iawn? Mai Eldra ydi'r efaill arall? Eldra ydi fy chwaer i?"

Fedar hi ddim cadw'r llawenydd o'i llais. Y cyffro. A rhyw fymryn o 'mi-ddywedais-i-yn-do?' Mae mam Eldra'n siarad eto.

"Mae'r cyfan wedi bod yn andros o sioc i ni i gyd. Wyt, Yvonne, rwyt ti wedi canfod y gwir. Ond rwyt ti wedi mynd o'i chwmpas hi mewn ffordd anghyfrifol iawn."

"Ond ..."

"Gad iddi orffen, Yvonne." Y llais athro 'na eto.

"Doedd gan Eldra ddim syniad chwaith ei bod wedi'i mabwysiadu, dim mwy na chditha, Yvonne." Mae hi'n edrych ar Dad wrth ddweud hyn. "Roedd ei thad yn mynnu ers blynyddoedd y dylai hi gael gwybod. Fi oedd yn gohirio. Hira'n y byd rwyt ti'n gwrthod gwneud rhywbeth, anodda'n byd ydi o pan ddaw'r amser na elli di ddim gohirio rhagor."

Mae rhyw sŵn rhwng anadliad ac ochenaid yn dod o gyfeiriad Dad fel pe bai o'n trio dweud ei fod o'n cytuno â hynny. Mae tad Eldra'n dal i edrych yn anghysurus, yn dal i ddweud dim. Yn dal i syllu ar ei draed fel pe baen nhw'r traed mwyaf rhyfeddol yn y byd.

"Ar ôl i ti ddod draw ddoe, roedd yn rhaid i ni

ddweud y gwir wrthi. Ond y dychryn mwyaf i ni oedd y ffaith fod Eldra'n un o efeilliaid. Doedden ninnau ddim yn ymwybodol o hynny chwaith. Anhygoel, dwi'n gwybod, ond mae o'n wir. Bu rhyw ddryswch gyda'r gwaith papur flynyddoedd yn ôl, mae'n debyg. Ond mae dy dad wedi cadarnhau hefyd fod yna ferch fach arall o'r enw Mari. A Mari oedd enw Eldra cyn iddi ddod aton ni. Mi fyddai'n rhaid i ni wneud profion DNA i gadarnhau popeth, ond mae'r holl bethau eraill, eich dyddiad geni, y wennol fach ar eich fferau chi'ch dwy, yn gwneud synnwyr perffaith."

"Mae hynny'n beth da felly, yn dydi?" Ond mae llais Yvonne fel pe bai'n disgyn i ryw wagle, a dydi llais mam Eldra na wyneb ei thad ei hun yn meddalu dim.

"Wel, nac ydi, dim felly." Mae mam Eldra'n codi ar ei thraed. "Mae Eldra mewn dipyn o sioc, dipyn o drawma, a bod yn onest. Mae hi'n teimlo bod popeth mae hi'n gyfarwydd ag o, pob sicrwydd oedd ganddi, wedi chwalu. Mae hi'n gwrthod dod o'i hystafell, yn gwrthod bwyta, yn gwrthod siarad hefo ni, hyd yn oed. Y ffaith amdani, Yvonne, ydi dy fod ti wedi niweidio Eldra, troi'i byd hi ben i waered. Dydan ni ddim isio iddi hi wneud dim â chdi, wyt ti'n deall? Cadw oddi wrthi, os gweli di'n dda."

"Ond ai dyna mae Eldra isio?" Mae Yvonne ei hun wedi gwylltio erbyn hyn. Pa hawl sydd ganddyn nhw i'w gwahanu nhw eto?

"Ia, dyna mae Eldra isio." Am y tro cyntaf, mae'i thad hi wedi dweud rhywbeth. Mae hynny ynddo'i hun yn ddigon i ddistewi pawb.

Ar ôl iddyn nhw adael heb ddweud yr un gair, mae tad Yvonne yn eistedd yn drwm yn y gadair freichiau agosaf. Er nad oes tân, mae o'n syllu i'r grât heb ddweud dim am yn hir.

"Dad?"

"Mi ddylet ti fod wedi siarad hefo fi'n gyntaf, Yvonne. Mae hyn yn rhywbeth mawr iawn."

"Ydi, Dad. Ond dwi wedi gorfod delio hefo fo, yn do? Pam na fedar Eldra?"

"Mae rhai pobl yn fwy sensitif na'i gilydd."

Ac mae o'n codi heb edrych arni ac yn gadael yr ystafell. Mae'r hyn mae o newydd ei ddweud yn greulon a diangen. Ydi o'n awgrymu ei bod hi'n ansensitif? Yn ddifeddwl? Mae'r dagrau'n pigo'i llygaid hi a'i gwddw hi'n teimlo'n llawn o binnau. Felly dyna mae'i thad yn ei feddwl ohoni go iawn. Y tad sydd ddim yn dad iawn. Does ganddo ddim meddwl ohoni wedi'r cwbl.

Y gwir.

O'r diwedd.

Eldra

Ar y pryd roeddwn i'n fwy blin hefo Mam a Dad nag oeddwn i hefo Yvonne. Arnyn nhw roeddwn i'n gweld bai. Pe bawn i'n gwybod o'r dechrau fy mod i wedi cael fy mabwysiadu, fyddai gwybod fy mod i'n un o efeilliaid ddim wedi bod yn gymaint o sioc. Efallai. Anfonodd Mam Yvonne o'r tŷ. Ond nid ar Yvonne roeddwn i'n gweiddi.

Maen nhw wedi mynd draw i weld Ifor Roberts, tad Yvonne, pnawn 'ma. Gwrthodais yn lân pan soniodd Mam am fynd i'r ysgol bore 'ma. No wê, medda fi. Nid fel'na fydda i'n siarad, fel arfer. Roedd hi fel pe bawn i'n gwrthryfela am y tro cyntaf erioed. Nid Eldra fach ddiniwed oeddwn i heddiw.

Roedd hi'n braf cael y tŷ i mi fy hun. Yn braf ymddwyn fel pe bawn i'n rhywun arall. O achos fy mod i'n 'rhywun arall' go iawn, erbyn meddwl. Fi ydi Mari, merch goll Myfanwy McBryde o Awstralia. Rhaid i mi gyfaddef, fodd bynnag, nad ydi Mam a Dad yn teimlo'n ddim gwahanol i mi. Y nhw ydi fy rhieni i. Ond dydw i ddim am gyfaddef hynny eto. Maen nhw'n meddwl fy mod i wedi digio hefo nhw ac yn rhy ypsét i siarad. Mae hynny'n rhannol wir.

Wrth gwrs ei fod o. Ond wyddwn i ddim pa mor braf ydi cael y sylw i gyd weithiau. Faswn i ddim isio bihafio fel difa drwy'r amser. Dydw i ddim yn berson felly. Dwi'n hoffi distawrwydd a llonyddwch a bod yn ddisylw. Ond rŵan hyn, dim ond am ychydig bach bach, dwi'n mynd i wneud y gorau o'r ffaith mai fy nheimladau i ydi'r rhai pwysicaf yn ystod y dyddiau nesaf.

Pan redodd Yvonne o'r tŷ ar frys ddoe, gadawodd lythyr Myfanwy ar ôl. Doedd hynny ddim yn fwriadol. Roedd hi mewn cymaint o banig ar ôl i Mam siarad yn flin hefo hi. Wnaeth Mam ddim sylwi arno fo. Cydiais ynddo a'i stwffio dan y gobennydd tra oedd Mam yn sefyll ar ben y grisiau'n gwylio Yvonne yn gadael. Dwi wedi'i ddarllen a'i ailddarllen. Sylwais fod rhif ffôn ynddo, o dan y cyfeiriad. Rhif ffôn Myfanwy McBryde, y ddynes sy'n honni mai hi ydi mam fiolegol Yvonne a fi. Heddiw, mi ddeialais y rhif. Dwi ddim yn gwybod ydi galwad i Awstralia'n costio'n ddrud. A dweud y gwir, dim ond rŵan, ar ôl i mi wneud, dwi'n meddwl am hynny. Nid ei bod hi'n alwad hir iawn. Dim ond gadael neges wnes i, a honno'n un fer. Ond digon i roi'r un faint o sioc i Myfanwy ag a roddodd hi i ni, gobeithio. Doeddwn i ddim yn swnio'n glên iawn chwaith. Dywedais yn reit gwta mai fi oedd Mari, un o'r efeilliaid a gollwyd yn y system wrth i ni gael ein mabwysiadu. Roedd ei roi o felly'n gwneud i mi swnio fel blocej mewn peipen ddŵr yn rhywle! Mae hi mor hawdd meddwl wedyn beth fyddai wedi swnio orau.

Dwi isio gweld Yvonne. Dwi isio i ni fod yn ffrindiau. Mam gymrodd yn ei phen y byddai hynny'n fy ypsetio i. Dwi wedi penderfynu dechrau siarad hefo nhw'n iawn pan ddôn nhw adra. Dydw i ddim yn mynd i bwdu am lawer hirach. Roeddwn i'n flin ar y pryd, ond dwi wedi cael amser i feddwl am bethau erbyn hyn.

Dwi wedi gwneud rhywbeth arall heddiw sy'n wahanol i'r arfer: dwi wedi cael hyd i fy ffôn a'i roi ar tjârj. Fydda i byth yn cofio amdano fo. Dydw i ddim wedi rhoi fy rhif i neb beth bynnag, ar wahân i Yvonne. Hi ydi'r un unig sydd wedi gofyn amdano. A rywsut mae gen i deimlad y bydd hi'n cysylltu. Mae golau bach yn fflachio'n barod i ddweud fod y batri'n llawn ac oes, mae yna decst wedi dod drwodd gan Yvonne. Un siomedig braidd.

Un gair yn unig: *Sorri x*

Gadael

Dydi Yvonne ddim yn gallu cael hyd i'r llythyr. Llythyr Myfanwy. Ydi o wedi disgyn o'i phoced wrth iddi adael tŷ Eldra ddydd Sul diwethaf? Ynteu a ydi hi wedi'i adael yno? Dim bwys. Mae hi wedi'i ddarllen yn ddigon aml erbyn hyn i gofio cyfeiriad ei mam yn Awstralia. Yr hyn sy'n ei phoeni ydi a fydd ei thad yn sylwi nad ydi'r llythyr ddim yn y lle arferol ar ei ddesg. Ond efallai nad ydi hi ddim o bwys am hynny chwaith, oherwydd erbyn iddo sylweddoli nad ydi o ddim yna mi fydd hi wedi hen fynd.

A ddylai hi adael nodyn? Beth ddylai hi'i sgrifennu ynddo beth bynnag? *Annwyl Dad, Dwi'n gwybod nad wyt ti fy isio fi go iawn, yn enwedig ar ôl beth ddigwyddodd. Felly dwi'n mynd i Awstralia i chwilio am fy mam iawn. Cariad Mawr, Yvonne.* Mi fyddai rhywbeth felly'n gwneud iddo boeni. Ac mae hi isio iddo fo boeni. Mae o wedi bod yn oeraidd hefo hi ers ymweliad rhieni Eldra ddechrau'r wythnos. Dydi hi ddim yn haeddu cael ei thrin fel hyn. Roedd Dad mor annheg yn awgrymu'i bod hi'n greulon a difeddwl. Ac anghyfrifol.

Dydi hi ddim yn mynd i Awstralia go iawn. Wrth gwrs nad ydi hi! Hyd yn oed pe bai hi'n gallu teithio'r holl ffordd yno ar ei phen ei hun, fyddai ganddi mo'r arian. Mae ganddi ddau gan punt o arian pen blwydd a chynilion a phres Dolig ym mhoced gudd ei rycsac.

Mi fyddan nhw'n sylwi'n fuan yn yr ysgol nad ydi hi wedi cofrestru ac yn ffonio'i thad gan na fydd o wedi cysylltu eisoes i ddweud ei bod hi'n sâl. Mae'n rhaid iddi fod yn glyfar, chwarae am amser. Mae hi a'i thad yn gadael y tŷ tua'r un amser bob bore. Mae o'n gyrru i un cyfeiriad tra'i bod hithau'n cerdded i'r cyfeiriad arall i ddal y bws. Dydi hi ddim isio iddo fo dderbyn galwad yr ysgol yn syth ar ôl y cyfnod cofrestru, felly does dim byd amdani ond rhoi ffôn ei thad ar *Distaw* cyn ei roi yn ôl ym mhoced ei siaced. Mae yna siawns go dda na fydd o ddim yn derbyn y neges am sbelan wedyn. Bydd yn rhoi amser iddi hi fod yn ddigon pell i ffwrdd erbyn hynny.

Mae hi'n llwyddo i gerdded heibio'r safle bws a chyrraedd toiledau'r archfarchnad heb i neb ei gweld. Llwydda hefyd i gymryd digon o amser yn newid yno o'i gwisg ysgol i jîns a chôt ledr ddu er mwyn i'r bws arferol gael cyfle i ddiflannu o'r golwg. Mae hi'n dal y nesaf i'r cyfeiriad arall, ac erbyn i'w ffrindiau gyrraedd eu dosbarth cofrestru, mae Yvonne yn yr orsaf drenau yn codi tocyn i Gaer.

Dydi hi ddim wedi gweld Eldra ers tridiau. Ydi hi wedi mynd i'r ysgol heddiw, tybed? Roedd ambell un wedi cael y stori fod tonsileitis arni, er bod Yvonne yn gwybod yn wahanol. Mae rhywbeth yn dod drosti, rhywbeth na fedar hi mo'i ddisgrifio. Mae arni angen dweud wrth Eldra am beidio poeni amdani. Er nad ydi honno byth yn edrych ar ei ffôn – wnaeth hi ddim hyd yn oed ymateb i'r *sorri* a anfonodd hi'r diwrnod o'r blaen – mae Yvonne yn penderfynu gyrru tecst. Mae hi'n meddwl bod ffôn Eldra yn y drôr, bod Eldra'i hun yn ei hôl yn yr ysgol yn ferch fach dda. Dydi hi ddim yn disgwyl iddi fod adra am weddill yr wythnos, a'i bod hi'n gorwedd ar ei gwely'n darllen llyfr a'i ffôn wrth ei hymyl. Felly mae hi'n cael sioc o weld ei mobeil ei hun yn canu ac enw Eldra'n serennu ar y sgrin fach.

"Yvonne? Lle wyt ti?"

"Eldra! Ti wedi ateb dy ffôn!"

"Be' oeddet ti'n feddwl yn dy decst? Diflannu er mwyn cael amser i feddwl? Lle'r wyt ti'n mynd?"

"Dim ots am hynny rŵan. Dydi Dad byth yn mynd i faddau i mi am ddweud wrthot ti. Dwi'n gorfod mynd. Mae hi'n well fel hyn. Anodd siarad ..."

"Yvonne?"

Mae yna glic a'r ffôn yn diffodd, ond nid cyn i Eldra glywed sŵn yn y cefndir, sŵn llais merch ar uchelseinydd yn cyhoeddi amser y trên nesaf o Fangor i Gaer.

* * *

Oni bai fod Ifor Roberts wedi anghofio'i watsh y diwrnod hwnnw ac wedi estyn ei ffôn o'i boced i tsiecio'r amser, fyddai o ddim wedi sylwi fod y sain wedi'i droi i ffwrdd. Llwyddodd i'w gael yn ôl mewn pryd i dderbyn galwad gan ysgrifenyddes yr ysgol yn holi ynglŷn ag absenoldeb Yvonne. Gofynnodd yntau a oedd Eldra yn yr ysgol. Cafodd syniad yn ei ben bod y ddwy'n chwarae triwant hefo'i gilydd. Dywedwyd wrtho fod Eldra adra'n sâl. Cyrhaeddodd gartref Eldra o fewn pum munud, a chael derbyniad digon oeraidd gan ei mam.

"Wrth gwrs fod Eldra yma. Be' ar y ddaear wnaeth i ti feddwl y byddai hi'n chwarae triwant hefo dy ferch di, Ifor? Mae gen ti wyneb yn dod yma i ofyn ..."

"Dwi'n gwybod lle mae hi."

Mae'r ddau'n troi i gyfeiriad y llais sy'n dod o ben y grisiau tu ôl iddyn nhw.

"Caer. Mae Yvonne newydd ddal trên i Gaer."

* * *

Os ydi o'n cael lôn glir, mi fedar Ifor ddreifio i Gaer a chyrraedd yr un pryd â'r trên, dim ond iddo gychwyn yn syth. Dydi o erioed wedi gyrru mor gyflym. Ydi o wedi osgoi'r camerâu cyflymder? Dydi o ddim yn siŵr. Does fawr o ots ganddo. Yr unig beth sy'n bwysig iddo ydi cael hyd i'w ferch cyn i rywbeth ddigwydd iddi. Egluro iddi fod popeth yn iawn, a'i bod hi wedi camddeall pethau'n llwyr. Dweud wrthi mai hi, ei ferch, ydi'r person pwysicaf yn ei fywyd o.

Mae o'n llwyddo. Mae o'n cyrraedd. Mae o yno mewn pryd i wylio'r teithwyr yn gadael yr orsaf. Rhaid iddo gael hyd iddi cyn iddi groesi'r lôn, cyn iddi ddiflannu i'r dorf.

Cyn i rywbeth ddigwydd.

Dydi o ddim yn sylweddoli am rai eiliadau fod rhywbeth wedi digwydd yn barod.

Eldra

"Mae'r ambiwlans wedi dod â hi'n ôl i Ysbyty Gwynedd." Mae wyneb Mam yn hollol wyn. Wyneb ysbryd.

Mae'r cyfan fel golygfa erchyll mewn drama deledu. Cafodd Yvonne ei hitio gan gar wrth iddi ruthro ar draws y lôn o'r orsaf. Yn ei brys, doedd hi ddim wedi edrych cyn croesi.

"Fedra i ddim dychmygu be' mae Ifor druan yn mynd drwyddo fo." A dyma Dad yn cydio'n dynn ynddo i, a chwalodd holl amheuon y dyddiau diwethaf yn llwch.

"Dwi isio mynd yna, Dad."

"Chei di mo'i gweld hi ar hyn o bryd, sti." Mae Mam yn trio bod yn rhesymol, ond dwi'n mynnu. Tynnu'n groes. Eto. Mae o'n dechrau mynd yn arferiad.

"A' i â hi draw. Dim ond am dipyn." Ac mae Dad yn estyn ei gôt, yn chwilio am oriadau'r car. Yn dallt.

Dwi'n crynu fel pe bai gen i'r ffliw, yr holl ffordd yno, er fod gen i gôt amdanaf. Rydan ni'n cael hyd i Ifor yn y coridor. Mae o'n syllu o'i flaen fel dyn dall. Yn edrych ar Dad a fi heb ein gweld.

"Mae'n bosib y bydd angen rhoi gwaed iddi."

Dydi hynny ddim yn swnio'n beth mor ofnadwy. Mae pobl yn cael gwaed o hyd ar ôl damweiniau. Fedar hynny ddim bod yn rhywbeth cymhleth, na fedar? Ac yna mae Ifor yn dweud wrth Dad beth ydi'r broblem. Mae grŵp gwaed Yvonne yn un anhygoel o brin. Dwi'n clywed y geiriau 'llai nag un person mewn mil' a thermau fel 'Rh-null'. Ac mae Ifor yn dechrau crio, yn dweud y basa fo'n rhoi'i waed i gyd iddi, ond dydi o'n dda i ddim. Dim ond teulu biolegol all gyflenwi gwaed fel hyn. Mae o'n troi at y doctor ac yn dweud trwy'i ddagrau: *Her biological mother is on the other side of the world.* Pen draw'r byd. Byd sydd bron ar ben iddo. A dwi'n clywed fy llais fy hun yn dweud:

"Fi. Beth amdanaf fi? Mae'r gwaed hwnnw gen innau os ydan ni'n efeilliaid."

Mae'r saib sy'n dod wedyn mor drwm fel y byddech chi'n gallu'i ddal o yn eich dwylo. Mae'r ddau'n edrych arna i, Ifor a Dad. Dwi'n gweld fflach o obaith yn llygaid Ifor am y tro cyntaf, a niwlen o bryder yn llygaid Dad.

"Mae hi'n chwaer i mi, Dad."

Mae'i lygaid o'n chwilio am esgusion, ond does neb yn dweud dim nes i ni glywed llais tu ôl i ni, llais Cymraeg hefo acen ddiarth ynddo, yn dweud:

"Fydd dim angen gofyn i Eldra."

Mae'r ddynes sydd newydd gyrraedd hefo Mam

yn dal ac yn bryd tywyll, ac mae siâp ei thrwyn hi'n debyg iawn i drwynau Yvonne a fi. A dwi'n sylweddoli mewn amrantiad mai fi wnaeth iddi ddod yma. Fy neges i. Bron fel pe bawn i'n rhoi'r gwaed prin i Yvonne fy hun.

Dwi'n rhedeg i freichiau Mam, ac mae hi'n fy nal i'n dynn, ac rydan ni'n gwrando ar y doctor ifanc yn ei ddillad glas yn egluro popeth i Myfanwy McBryde.

Mannau Geni

Mae mannau neu farciau geni yn gallu bod yn farciau dros dro sy'n diflannu'n fuan ar ôl i fabi gael ei eni neu gallant fod yn barhaol. Maent yn amrywio o fod yn fach a bron yn anweledig, i fod yn eithaf amlwg ar y croen. Gall mannau geni fod yn unrhyw siâp ac mae sawl lliw gwahanol ynddynt, e.e. brown golau, brown tywyll, du, glas, pinc neu biws. Mae'r rhan fwyaf o fannau geni'n gwbl ddiniwed.

Mae dau fath gwahanol o fan geni – rhai **fasgwlar** (sy'n digwydd pan nad yw pibellau gwaed yn ffurfio'n iawn) a rhai **lliw** (sy'n golygu bod gordyfiant o'r celloedd yn y croen sy'n gyfrifol am greu lliw).

Mannau geni fasgwlar

Os ydy'r pibellau gwaed a effeithir yn ddwfn o dan y croen, gall y mannau geni hyn ymddangos yn las. Y rhai mwyaf cyffredin o'r math hwn yw marciau pinc ar y talcen, y gwegil, y trwyn ac ar y wefus uchaf. Maent yn cael eu galw weithiau'n 'gusanau angel', ac er bod rhai'n gallu bod yn barhaol, mae'r rhan fwyaf ohonynt yn diflannu erbyn i blentyn gyrraedd dwyflwydd oed. Mathau eraill o fan geni fasgwlaidd yw'r man geni siâp mefusen, a'r man geni sy'n edrych fel pe bai gwin coch wedi'i ollwng ar y croen.

Mannau geni lliw

Y mannau geni mwyaf cyffredin o'r math yma yw mannau coffi llaeth (café-au-lait) sy'n frown golau. Ceir mannau Mongolaidd sy'n fwy cyffredin ar groen tywyllach ac mae'r rhain yn fflat ac yn llwydlas. Math arall o fan geni yw'r ddafaden sy'n frown neu'n ddu. Gall fod yn fflat neu'n fwy o bloryn ar y croen. Er bod y rhan fwyaf o ddafadennau'n ddiniwed, mae'n bwysig cadw golwg arnynt os ydynt yn tyfu'n fwy neu'n newid eu siâp, gan fod rhai anghyffredin o fawr sy'n tyfu'n sydyn yn gallu bod yn beryglus a datblygu'n ganser ar y croen, a elwir yn melanoma.

Trin mannau geni

Does dim angen triniaeth ar y rhan fwyaf o fannau geni. Mae llawer ohonynt yn diflannu ar eu pennau eu hunain heb unrhyw ymyrraeth. Gellir tynnu dafadennau gyda llawdriniaeth neu driniaeth laser, ac mae rhai pobl yn dewis cuddio rhai marciau gyda cholur. Oni bai ei fod yn beryglus i iechyd neu'n creu embaras neu anhwylustod oherwydd ei leoliad ar y corff, mae'r rhan fwyaf o bobl yn byw yn fodlon gyda man geni, ac yn ei dderbyn fel rhan normal ac annatod ohonynt, fel lliw eu llygaid.

Ffeithiau am efeilliaid

- Mae efeilliaid sydd yn edrych yn union yr un fath yn rhannu'r un wy wrth gael eu cenhedlu ac mae'r wy hwnnw'n hollti'n ddau wrth gael ei ffrwythloni. Mae efeilliaid nad ydyn nhw'n edrych yn union yr un fath yn dod o ddau wy gwahanol.

- Mae DNA efeilliaid sydd yn union yr un fath yn 99.9% yr un fath. Mae patrymau tonnau'r ymennydd bron yn union yr un fath hefyd, ond mae olion eu bysedd yn wahanol!

- Mae bod yn llaw chwith yn fwy cyffredin ymysg efeilliaid na'r rheiny nad ydynt yn efeilliaid.

- Mae'n bosib i efeilliaid gael diwrnod pen-blwydd gwahanol, gan y gall dyddiau fynd heibio rhwng y ddwy enedigaeth.

- Ar gyfartaledd, yr amser rhwng geni'r efaill cyntaf a'r ail efaill ydi 17 munud.

- Mae tua 25% o efeilliaid sydd yn edrych yn union yr un fath yn efeilliaid drych-ddelweddol. Golyga hyn eu bod fel pe baent yn edrych mewn drych wrth syllu ar ei gilydd, e.e. os oes gan un efaill fan geni neu frychni o dan ei lygad chwith, bydd yr un marc o dan lygad dde'r llall.

- Mae 40% o efeilliaid yn datblygu eu hiaith gyfrinachol eu hunain pan maent yn fach er mwyn cyfathrebu gyda'i gilydd cyn iddynt ddechrau dysgu iaith iawn.

- Mae tystiolaeth fod efeilliaid yn y groth yn gallu dechrau adnabod ei gilydd ac ymateb i'w gilydd ar ôl dim ond 14 wythnos!

- Mae llawer o rieni'n poeni na fyddant yn gallu gwahaniaethu rhwng efeilliaid sy'n edrych yn union yr un fath. Weithiau maent yn paentio ewin ar droed un rhag cymysgu!

- Mae benyw sydd yn un o efeilliaid ei hun bedair gwaith yn fwy tebygol o roi genedigaeth i efeilliaid.

Nofelau eraill ar gyfer darllenwyr 12–14 oed